TRUCS ET CONSEILS
101

INTERNET
& l'ENTREPRISE

STEVE SLEIGHT

D0785543

MANGO PRATIQUE

UN LIVRE DE DORLING KINDERSLEY

Première édition en Grande-Bretagne en 2000 par
Dorling Kindersley Limited
9 Henrietta Street, Londres

© 2001 Mango Pratique pour la langue française
Dépôt légal : février 2001
Traduction : Olivier Fleuraud
Adaptation : Dominique Montembault
Composition, mise en pages : Studio Michel Pluvinage
Imprimé en Italie

ISBN 2 84270 260 3

MANGO PRATIQUE

SOMMAIRE

EXPLOITER L'INFORMATIQUE

TIRER PROFIT DE L'INTERNET

INTRODUCTION

L'informatique a désormais fait son entrée dans presque tous les domaines de l'entreprise moderne, à tel point que le succès commercial dépend aujourd'hui en grande partie de l'exploitation des technologies de l'information. Pour l'encadrement, que ce soit au niveau des ressources humaines ou du marketing, il est essentiel de prendre rapidement conscience des implications et des bénéfices de cette révolution industrielle. En vous familiarisant avec le jargon et en démystifiant le rôle de l'ordinateur, trop souvent considéré comme un outil complexe et rébarbatif, Internet & l'Entreprise vous aidera à relever le défi de l'informatisation et à tirer pleinement profit de la révolution Internet. Les 101 trucs dispersés au fil des pages vous dispenseront des conseils pratiques très utiles et en fin d'ouvrage, un test vous permettra d'évaluer vos compétences.

RELEVER LE DÉFI DE L'INFORMATIQUE

Aujourd'hui, pour gagner dans un monde des affaires en pleine mutation et hautement compétitif, chaque entreprise doit faire un bon usage de l'informatique. Veillez à ce que vous-même et vos employés soyez conscients de la nécessité d'apprendre.

QU'EST-CE QUE L'INFORMATIQUE ?

L'utilisation efficace de l'informatique est l'un des plus grands défis à relever par les entreprises. Pour toute structure en quête de compétitivité, il est essentiel de comprendre le rôle de l'informatique et d'apprendre à la maîtriser.

1 Expliquez à votre personnel l'importance de l'informatique pour le succès d'une entreprise.

DIFFÉRENCES CULTURELLES

Le développement de l'informatique est dû à des organisations américaines, mais son utilisation est désormais planétaire. Si les États-Unis sont toujours les premiers fabricants mondiaux d'outils informatiques, plusieurs pays d'Europe ainsi que l'Inde sont en train de se forger leurs propres niches technologiques.

DÉFINITION

L'informatique, science du traitement de l'information, englobe toutes les technologies traitées par ordinateur à microprocesseur. Ainsi, des services tels que la distribution d'eau, d'électricité ou les télécommunications sont gérés par des microprocesseurs, qui jouent aussi un rôle essentiel dans la plupart des procédés de fabrication et de distribution. Généralement, le personnel d'encadrement est confronté à deux types de systèmes informatiques : ceux qui collectent en trient des données, et ceux qui facilitent les communications entre les individus et les entreprises.

2 Recherchez les technologies qui facilitent le travail.

3 Étudiez comment l'informatique peut vous rendre plus fort, ainsi que votre entreprise.

TIRER PARTI DE L'INFORMATIQUE

Aucune entreprise ne peut se permettre d'ignorer que les technologies du monde moderne peuvent la rendre plus forte. Les systèmes informatiques d'aujourd'hui aident les sociétés à devenir plus réceptives, plus efficaces et plus flexibles face aux changements constants et rapides auxquels elles sont confrontées. Utilisée de façon adéquate, l'informatique permettra à votre société de rationaliser ses opérations et de se concentrer sur les compétences et les aptitudes qui la différencient de ses concurrents sur le marché.

POUR UNE UTILISATION OPTIMALE

La capacité à utiliser les systèmes informatiques modernes de façon optimale est devenue une exigence stratégique essentielle dans la concurrence féroce qui oppose les entreprises. Un manager doit choisir et utiliser des systèmes informatiques qui lui permettent de communiquer plus efficacement, de simplifier les procédures commerciales, d'acquérir, d'analyser et de gérer les données sur lesquelles repose son entreprise.

4 Déterminez toutes les utilisations actuelles de l'informatique dans votre entreprise.

▼ L'UTILISER EFFICACEMENT
Une utilisation efficace de l'informatique offre de gros avantages, aussi bien sur le plan personnel que pour l'entreprise.

AVANTAGES PERSONNELS

L'informatique m'aide à travailler plus intelligemment.

L'informatique me permet de travailler en dehors du bureau.

L'informatique me permet de garder le contact partout.

AVANTAGES POUR L'ENTREPRISE

L'informatique me rapproche de mes clients.

L'informatique me permet de réduire les coûts.

L'informatique rend mon entreprise plus flexible.

EXPLOITER LA PUISSANCE DE L'INFORMATIQUE

Afin de tirer le meilleur parti de l'informatique, il faut savoir choisir des systèmes réellement efficaces. Établissez une propriété technologique et utilisez l'informatique en vue d'en retirer un avantage concurrentiel.

5 Optez pour des systèmes capables de vous apporter un avantage sur la concurrence.

LA DÉPENDANCE ▲ INFORMATIQUE
De nombreux secteurs dépendent entièrement de l'informatique.

CRÉER DES SYSTÈMES EFFICACES

L'informatique est un outil qui peut améliorer de façon radicale votre façon de gérer votre entreprise et de communiquer avec votre clientèle. Un système doit être :

- Transparent pour l'utilisateur, qui n'a pas besoin de savoir comment fonctionne le système ; ce dernier doit simplement remplir un rôle déterminé au moment voulu.
- Rapide et facile d'utilisation. L'utilisateur doit pouvoir utiliser le système sans difficulté, et rapidement, sans temps de réponse exagéré.
- Flexible. Avec l'évolution constante de la demande, le système doit pouvoir être adapté rapidement.

SOULIGNER LES BESOINS

Une entreprise doit pouvoir réagir devant l'évolution des marchés ; elle doit être capable de développer rapidement de nouveaux produits et de satisfaire les attentes de sa clientèle. Pour lui procurer un avantage concurrentiel, un système informatique doit s'articuler autour de réels besoins commerciaux. Demandez à chaque service d'identifier ses propres besoins pour exiger la solution informatique adaptée.

6 Adaptez la technologie aux besoins de votre entreprise, et non l'inverse.

CHOISIR LES RESPONSABLES DE L'INFORMATIQUE

Lorsque vous optez pour de nouveaux systèmes ou évoluez vers des technologies plus modernes, il est important de déterminer qui sera responsable des ressources. Tout système réclame un entretien et une surveillance afin de limiter au maximum le temps d'immobilisation en cas de panne. Si vous mettez en place une nouvelle technologie, assurez-vous que tout votre personnel informatique la maîtrise parfaitement et sait la gérer. En cas de doute, prévoyez une formation pour vos techniciens ou souscrivez un contrat d'assistance auprès de votre fournisseur.

LE CONTRÔLE DE L'INFORMATIQUE

Il est indispensable de mettre aux commandes des personnes qui ont des connaissances en informatique, aussi bien au conseil d'administration que dans chaque département de votre structure. Le plus haut responsable orientera l'utilisation de l'informatique vers les besoins actuels et futurs de l'entreprise, tandis que les responsables des services œuvreront pour son utilisation efficace et optimale.

7 Pour un maximum de rapidité, simplifiez vos systèmes informatiques.

8 Apprenez l'informatique et encouragez son utilisation au sein de votre équipe.

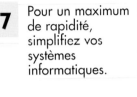

CONSEIL D'ADMINISTRATION
Membre compétent aux commandes de l'informatique.

◀ LE CONTRÔLE DE L'INFORMATIQUE
Un membre du conseil d'administration compétent en informatique veille à ce que l'informatique serve l'entreprise. Dans chaque service, un responsable œuvre pour son utilisation efficace et fait le lien avec le service informatique.

SERVICES
Un chef de service et un responsable de l'informatique dans chaque service.

SERVICE INFORMATIQUE
Assure la liaison avec les autres services et le personnel d'assistance interne ou externe.

SERVICES
Un chef de service et un responsable de l'informatique dans chaque service.

L'IMPORTANCE DU FACTEUR HUMAIN

Pour exploiter tout le potentiel de l'informatique, il est important que ses utilisateurs aient l'impression de la maîtriser et jugent son utilisation de façon positive. Ne négligez pas le facteur humain.

9 Privilégiez les compétences et la créativité humaines aux systèmes informatiques.

10 Ayez une opinion positive de l'informatique et apprenez à vous en servir.

11 Souvenez-vous qu'au sein d'une entreprise, les individus sont les meilleurs guides de l'information.

MAÎTRISER L'INFORMATIQUE

Les gens ont très souvent peur des technologies qu'ils ne maîtrisent pas. Ceci est particulièrement le cas lorsqu'elles sont compliquées et font appel à un jargon spécialisé. Contrairement à d'autres technologies complexes comme la télévision ou le téléphone, l'informatique est toujours sujette à des défaillances et n'est pas transparente pour l'utilisateur, qui doit mémoriser un nouveau langage et posséder une certaine dose de compétences avant de pouvoir utiliser son ordinateur. Pour vous comme pour votre personnel, seul un effort d'apprentissage vous permettra de maîtriser l'informatique.

POSITIVER

Pour votre carrière dans l'encadrement, il est important de comprendre les implications commerciales de l'informatique et d'apprendre à vous servir de systèmes ordinaires. Commencez par vous débarrasser de toute attitude négative à l'égard de cette technologie et concentrez-vous sur ses avantages. Décidez d'un mode d'apprentissage de l'informatique et recherchez des collègues capables de vous aider. Le jargon constituant souvent une barrière à l'apprentissage, demandez-leur de l'éviter ou de vous expliquer les mots clés.

QUESTIONS À SE POSER

Q Ai-je suffisamment étudié les technologies et systèmes informatiques utilisés dans mon entreprise ?

Q Ai-je une attitude positive à l'égard de l'utilisation et de la valeur de l'informatique dans mon entreprise ?

Q Est-ce que je maîtrise les systèmes que j'utilise ?

COMMENT VALORISER ▼
L'INFORMATION
*Des données interprétées et
mises en contexte par un analyste,
deviennent l'information, utilisée
ensuite par le décideur.*

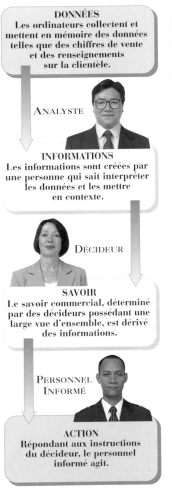

DONNÉES
Les ordinateurs collectent et
mettent en mémoire des données
telles que des chiffres de vente
et des renseignements
sur la clientèle.

ANALYSTE

INFORMATIONS
Les informations sont créées par
une personne qui sait interpréter
les données et les mettre
en contexte.

DÉCIDEUR

SAVOIR
Le savoir commercial, déterminé
par des décideurs possédant une
large vue d'ensemble, est dérivé
des informations.

PERSONNEL
INFORMÉ

ACTION
Répondant aux instructions
du décideur, le personnel
informé agit.

DÉVELOPPER UNE CULTURE DE L'INFORMATION

Souvent, les systèmes informatiques conçus pour gérer, enregistrer et distribuer l'information n'atteignent pas leur objectif. L'une des principales raisons de cet échec est une tendance à se concentrer sur les capacités technologiques plutôt que sur la façon dont les gens traitent l'information. On présume également trop souvent que les gens vont échanger naturellement des informations si la technologie le leur permet. Or lorsque information est synonyme de pouvoir, les gens n'ont pas tendance à partager l'information à moins que leur culture d'entreprise ne les encourage à le faire. Il est donc important de développer une culture de l'information avant d'utiliser l'informatique comme outil de gestion de l'information.

12 Développez les relations humaines avant de tabler sur les outils de communication informatiques.

À FAIRE ET À NE PAS FAIRE

✔ Dites quand vous ne comprenez pas le jargon informatique.

✔ Étudiez la façon naturelle d'utiliser et de partager des informations.

✔ Récompensez le partage des informations.

✘ N'utilisez pas de jargon informatique face aux débutants.

✘ N'attendez pas un partage des informations dans une entreprise à culture concurrentielle.

✘ Ne communiquez pas que par l'informatique.

SUIVRE L'ÉVOLUTION

Les gens se plaignent souvent de la difficulté de suivre l'évolution ultrarapide des systèmes informatiques. Il est cependant important pour les cadres d'apprendre à reconnaître les progrès informatiques qui concernent leur entreprise et d'y réagir.

 13 Acceptez le caractère inévitable du progrès et cherchez à en tirer profit.

À FAIRE

1. Concentrez-vous sur les technologies qui présentent des avantages tangibles.
2. Soyez prêt à consacrer du temps à l'étude de nouvelles technologies.
3. Tissez des liens avec des collègues qui ont plus d'expérience que vous dans l'utilisation d'outils informatiques.
4. Expliquez vos besoins clés au service informatique.

ACCEPTER LE CHANGEMENT

Le milieu de l'entreprise est affecté par de profonds changements, dus notamment aux progrès technologiques et à la mondialisation des marchés, mais c'est surtout dans l'informatique que cette évolution se fait le plus sentir. Les experts eux-mêmes se plaignent de la difficulté de se tenir au courant des progrès en informatique, alors il n'y a rien d'étonnant à ce que les cadres considèrent ce facteur comme au-delà de leurs compétences ou du temps dont ils disposent. Pourtant, il est essentiel de suivre les évolutions, car les progrès vont encore s'accélérer dans les années à venir, et ceux qui ne veulent ou ne peuvent pas s'adapter risquent de se retrouver sur la touche.

ÊTRE SÉLECTIF

Plutôt que de chercher à tout savoir, soyez sélectif : renseignez-vous sur les nouveaux outils ou les nouvelles technologies susceptibles de faciliter des tâches lourdes, gagner du temps, de réduire les frais d'entreprise ou accroître les bénéfices. Recherchez des systèmes informatiques d'importance stratégique ou opérationnelle pour votre entreprise. Ceux-ci intégreront de plus en plus souvent des systèmes de commerce électronique (pour l'achat et la vente sur Internet) ou un Intranet (un réseau privé permettant une gestion interne de l'information).

14 Sachez exploiter les progrès utiles plus rapidement que vos concurrents.

15 Aidez votre équipe à se concentrer sur les progrès significatifs.

SUIVRE L'ÉVOLUTION TECHNOLOGIQUE

Les meilleures sources d'information sont l'Internet, les magazines spécialisés, les articles techniques dans la presse écrite, et vos collègues qui connaissent l'informatique et utilisent des technologies semblables aux vôtres. Si votre entreprise possède un service informatique, demandez-lui de vous tenir informé des grands changements et posez-lui des questions au sujet des technologies qui vous paraissent importantes. Si vous utilisez des logiciels commerciaux, visitez régulièrement le site Web de l'éditeur ; vous y trouverez des conseils d'utilisation, des mises à jour et des informations sur les erreurs possibles. Bon nombre de distributeurs de logiciels vous proposeront de vous inscrire sur leur liste de diffusion pour vous envoyer régulièrement leurs dernières offres.

16 Utilisez l'Internet comme principal outil de recherche.

QUESTIONS À SE POSER

Q Le matériel et le logiciel que j'utilise sont-ils à jour ou dépassés ?

Q Existe-t-il d'autres outils qui augmenteraient mon efficacité ou celle de mon entreprise ?

Q La dernière version de ce logiciel a-t-elle fait ses preuves auprès de tierces personnes ?

Un membre de l'équipe est chargé de lire la presse spécialisée.

Le responsable de l'informatique présente les dernières évolutions à l'équipe.

Un responsable de service ne perd pas de vue les problèmes et les besoins de l'entreprise.

SE TENIR AU COURANT ▲ DES NOUVEAUTÉS

Organisez régulièrement des réunions avec votre personnel pour partager des informations sur le nouveau matériel ou sur les logiciels susceptible d'améliorer les performances de votre entreprise.

17 Gardez un œil sur les progrès dans le domaine de l'Internet qui auront le plus d'impact sur votre entreprise.

L'INFORMATIQUE SUR VOTRE BUREAU

Pour choisir les solutions qui répondent aux exigences de son entreprise et de ses employés, le décideur doit posséder une vue d'ensemble de l'informatique. Il lui faut donc apprendre à connaître les principaux types de matériel et de logiciel.

DÉTERMINER LES BONS OUTILS

Pour tirer le meilleur parti de l'informatique, il est fondamental de choisir la technologie et les systèmes qui satisfont vos besoins. Ne prenez votre décision qu'après consultation avec les futurs utilisateurs et le service informatique.

18 Renseignez-vous sur les technologies à la pointe du progrès en informatique.

POINTS À RETENIR

- Beaucoup de systèmes anciens sont encore en service, et il faut les prendre en compte lorsqu'on y adjoint de nouveaux systèmes ou de nouvelles technologies.
- L'échange de données entre des systèmes anciens et des systèmes modernes fondés sur l'Internet peut se révéler problématique.
- Le commerce électronique réclame des systèmes compatibles avec les standards de l'Internet.

FAIRE LE BON CHOIX

L'informatique a tellement évolué ces dernières années que bon nombre d'organisations possèdent aujourd'hui un mélange d'anciens systèmes et de technologie moderne. La plupart des sociétés se lançant dans l'Internet et développant leur Intranet (mini-Internet privé) reposent sur la technologie Internet. Si vous devez choisir un nouveau système, sachez que ceux qui offrent la plus grande flexibilité sont ceux qui fonctionnent selon les standards Internet « ouverts ». Veillez également à ce qu'il soit compatible avec votre ancien système, le cas échéant.

EXPLICATION DU JARGON DE BASE

MOTS CLÉS	DÉFINITION
Bit	La plus petite unité d'information gérée par un ordinateur.
Octet	Un caractère (chiffre, lettre ou symbole), valant 8 bits.
CD-ROM	Disque optique numérique à lecture seule.
Disque dur	Support circulaire où sont enregistrées toutes les données de l'ordinateur.
DVD	Type de disque numérique en passe de supplanter le CD.
Puce	Le microprocesseur effectuant les fonctions de l'ordinateur.
Matériel (hardware)	Ensemble des composants physiques et visibles d'un système informatique.
Système d'exploitation	Logiciel contrôlant les fonctions de base de l'ordinateur.
RAM	Mémoire temporaire de l'ordinateur, ou mémoire vive.
Logiciel (software)	Ensemble d'instructions électroniques gérées par le matériel de l'ordinateur.

ÉVALUER DE NOUVEAUX OUTILS

Lorsque vous évaluez de nouveaux outils informatiques, les besoins de votre entreprise doivent passer avant toute considération technologique. Commencez par définir les tâches à effectuer, puis examinez les solutions offertes. Si possible, essayez de savoir quelles solutions vos concurrents ont choisies, puis établissez une liste. En toutes circonstances, demandez une démonstration.

19 Avant d'opter pour de nouveaux outils, exigez une démonstration.

▼ CHOISIR PRUDEMMENT
Lorsque vous choisissez un nouveau système, réfléchissez bien, consultez ses futurs utilisateurs et pensez en termes d'avantages pour l'entreprise.

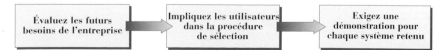

Évaluez les futurs besoins de l'entreprise	→	Impliquez les utilisateurs dans la procédure de sélection	→	Exigez une démonstration pour chaque système retenu

IDENTIFIER
LES COMPOSANTS

Il n'est pas nécessaire d'être un spécialiste en informatique pour faire fonctionner un ordinateur, mais une bonne connaissance des différents types de matériels et de logiciels installés sur votre système vous aidera à en tirer le meilleur parti.

20 Ajoutez de la mémoire vive pour augmenter les performances de votre système.

CONNAÎTRE VOTRE ORDINATEUR

Le microprocesseur et les circuits qui constituent le cœur de l'ordinateur sont logés dans l'unité centrale. Divers appareils d'entrée ou de sortie (les périphériques) peuvent être reliés à l'unité centrale au moyen de câbles ou de systèmes infrarouges. Lorsque l'ordinateur traite des données, il les stocke temporairement dans sa mémoire vive primaire, la RAM (Random Access Memory). Un disque magnétique (le disque dur), situé dans l'unité centrale, vous permet de sauvegarder vos données à long terme, mais vous pouvez aussi stocker des données sur des supports amovibles tels que les CD.

COMPOSANTS MATÉRIELS ▶
Vous pouvez relier à votre ordinateur toutes sortes de périphériques pour y entrer ou en faire sortir des données.

L'un des périphériques de sortie les plus répandus

IMPRIMANTE

Il relie votre ordinateur au réseau téléphonique.

MODEM

Écran, disponible en plusieurs tailles

MONITEUR

UNITÉ CENTRALE

Elle abrite le microprocesseur et la RAM de l'ordinateur.

CLAVIER

SOURIS ET TAPIS-SOURIS

Les données peuvent être inscrites sur des supports amovibles.

Les composants matériels sont reliés entre eux par divers types de câbles.

GRAVEUR DE CD

CONNECTIQUE

QU'EST-CE QUE LE MATÉRIEL ?

Le terme matériel englobe tous les composants physiques de l'ordinateur, ainsi que le réseau et les périphériques (appareils distincts) auxquels il est relié. Bien que le matériel informatique soit souvent dépassé un an après son achat, il peut généralement remplir sa tâche au sein de l'entreprise qui l'a acquis pendant une dizaine d'années. D'ailleurs, les principaux logiciels destinés aux entreprises ne réclamant pas des machines hyperperformantes pour fonctionner correctement, il n'est pas nécessaire d'investir dans le dernier ordinateur en date.

QUESTIONS À SE POSER

Q Quel âge a mon matériel informatique ? Est-il obsolète ?

Q Mon ordinateur est-il lent dans le traitement des informations ?

Q Est-il possible d'ajouter de la RAM pour accélérer sa vitesse ?

Q Mon logiciel effectue-t-il toutes les tâches requises ?

Q Ai-je besoin de nouveau matériel pour faire fonctionner le logiciel dont j'ai besoin ?

21 Achetez votre matériel auprès de fournisseurs de premier plan.

22 Les logiciels modernes ont besoin d'au moins 32 Mo de RAM pour fonctionner.

QU'EST-CE QUE LE LOGICIEL ?

Le logiciel est la partie invisible d'un système informatique. Il donne à l'ordinateur la fonctionnalité et la flexibilité nécessaires à l'exécution de travaux utiles. Le système d'exploitation (ou OS – Operating System) contrôle les fonctions de base de l'ordinateur et sa communication avec les périphériques qui y sont reliés ; il assure l'interface avec l'utilisateur (ce qui est visible à l'écran) et joue le rôle d'intermédiaire avec les applications. On appelle applications les logiciels conçus pour réaliser des tâches précises, tels que les traitements de texte ou les logiciels de comptabilité. Il en existe une multitude, pour répondre à quasiment tous les besoins.

ÉTABLIR SES PRIORITÉS

Dans l'idéal, commencez par choisir les applications les mieux adaptées aux besoins de votre entreprise, puis choisissez le matériel et le système d'exploitation qui correspondent à vos applications. Dans la pratique cependant, à moins de vous informatiser pour la première fois ou de vouloir renouveler tout votre matériel, vous devrez choisir des applications qui fonctionnent sur votre matériel existant.

23 Des machines hyperperformantes ne sont pas forcément essentielles pour vos logiciels.

CHOISIR SON MATÉRIEL

Le choix d'un matériel peut paraître compliqué en raison du nombre de caractéristiques techniques, mais en réalité, il n'est pas difficile de choisir une unité centrale, un moniteur et des périphériques de base adaptés à ses besoins.

24 Souvenez-vous que des PC et des Macintosh peuvent fonctionner sur un même réseau.

25 N'oubliez pas de prendre en compte le coût de la maintenance.

POINTS À RETENIR

● Stabilité et fiabilité sont deux facteurs essentiels en entreprise.

● Les applications multimédias et les jeux vidéo requièrent des ordinateurs puissants.

● Pour un usage bureautique un ordinateur très puissant n'est pas nécessaire.

● Les moniteurs multisynchrones modernes permettent d'ajuster la résolution d'image en fonction de vos besoins.

CHOISIR UN ORDINATEUR

Dans bon nombre d'entreprises, c'est le service informatique qui se charge du choix et de l'achat des ordinateurs, mais dans les structures plus petites, il se peut que la responsabilité incombe à un cadre non spécialisé dans le domaine. Les ordinateurs modernes étant largement assez rapides pour les applications d'entreprise les plus répandues, concentrez-vous sur leur facilité d'utilisation, leur prix de revient à long terme (y compris les frais d'assistance et d'entretien-réparation) et leur fiabilité. La plupart des ordinateurs de bureau sont de type PC avec processeur Intel et fonctionnant sous l'un des systèmes d'exploitation Windows, mais vous pouvez préférer les PC fonctionnant sous Linux OS ou le Macintosh d'Apple, rapide et facile d'utilisation, d'un faible coût total d'utilisation.

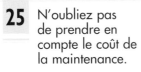

Choisissez un fournisseur capable d'assurer un service après-vente.

Dressez la liste de vos besoins et comparez-la aux prestations offertes par les différentes solutions informatiques retenues.

PRENDRE LA DÉCISION ▶
Établissez une liste comparative des choix possibles et faites part de vos exigences à votre fournisseur.

Un moniteur doit afficher en au moins 256 couleurs.

Pour les graphismes, il convient d'afficher en milliers, voire en millions de couleurs.

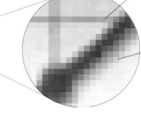

La résolution indique le nombre de pixels par pouce carré. Un moniteur à faible résolution affiche en 640 x 480, un modèle à haute résolution en 1 280 x 1 024.

Les plus petits éléments constitutifs de l'image sont les pixels, disposés en damier.

CHOISIR UN MONITEUR

La plupart des moniteurs possèdent un tube cathodique. La taille représente la diagonale du tube, en pouces, mais l'image est légèrement plus petite. Un moniteur 15 pouces suffit pour la bureautique, les 17 ou 21 pouces sont recommandés pour les feuilles de calcul et les travaux de graphisme. Les portables utilisent des écrans à cristaux liquides (LCD), en voie de généralisations.

▲ CHOIX DE LA RÉSOLUTION

Une haute résolution permet d'afficher plus d'informations à l'écran qu'une faible résolution car les images sont plus petites.

26 Pour le graphisme, investissez dans un moniteur à grand écran et haute résolution.

La configuration des claviers est standardisée.

Le tapis-souris facilite l'utilisation de la souris.

Une palette graphique se révèle utile pour le dessin industriel ou le graphisme.

PÉRIPHÉRIQUES ▲ D'ENTRÉE

Parmi les nombreux claviers, souris et tablettes graphiques existants, choisissez ceux de qualité et ergonomiques, moins fatigants à l'usage.

CHOISIR UN CLAVIER ET UNE SOURIS

Le clavier et la souris servent à actionner l'ordinateur et à y entrer des informations. La qualité et le toucher des claviers varient sensiblement d'une marque à l'autre, alors n'hésitez pas à faire plusieurs essais. Certains présentent une forme ergonomique qui améliore le confort de frappe et réduit la fatigue au niveau des poignets et des doigts. La souris commande une flèche qui vous permet de sélectionner et de déplacer des objets à l'écran. Elle est généralement reliée au clavier par un cordon, mais il existe des modèles sans fil. On trouve des souris de plusieurs tailles et formes, et possédant un, deux ou trois boutons.

ENTRER DES INFORMATIONS

Les périphériques d'entrée servent à communiquer avec l'ordinateur et à y entrer des données à traiter. Le plus répandu est le clavier, mais il existe de nombreux types de périphériques d'entrée adaptés à l'information à saisir. Par exemple, un lecteur de codes-barres transfère les données de codes-barres imprimées dans un système de gestion des stocks, tandis qu'un système d'acquisition vocale vous permet de contrôler votre ordinateur à la voix.

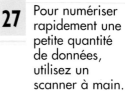

27 Pour numériser rapidement une petite quantité de données, utilisez un scanner à main.

PÉRIPHÉRIQUES D'ENTRÉE LES PLUS RÉPANDUS

MATÉRIEL	DESCRIPTION ET MODE D'EMPLOI
LECTEUR DE CODES-BARRES	Un lecteur de codes-barres sert à lire le codage sous forme de fines barres noires sur fond blanc apposé sur des produits, et à le transférer dans un ordinateur. On l'utilise dans les points de vente, mais aussi pour contrôler la distribution et suivre la trace de fournitures.
APPAREIL PHOTO NUMÉRIQUE	Les derniers appareils photo (et caméras) numériques font de très belles images. Ils se branchent sur l'ordinateur, ce qui permet de retoucher l'image et de l'insérer directement dans une brochure, un catalogue ou une présentation.
MICROPHONE	Les ordinateurs de bureau modernes intègrent des systèmes de reconnaissance vocale. Un micro permet également de dicter un discours directement dans un traitement de texte, gain de temps appréciable pour les personnes qui ne savent pas taper à la machine.
CONNECTIQUE RÉSEAU	Un branchement en réseau permet à l'utilisateur d'accéder aux informations mémorisées sur les autres ordinateurs ou systèmes de stockage du réseau. Lorsque ce dernier est relié à l'Internet, on peut télécharger des informations en provenance d'innombrables sources.
SCANNER	Très utile au bureau, le scanner permet de numériser une photo ou un graphisme, puis de le retravailler et de le sauvegarder sur son ordinateur. Un logiciel de reconnaissance optique des caractères (OCR) convertit un texte numérisé sous forme de traitement de texte.

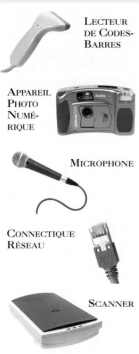

SORTIR DES INFORMATIONS

Les périphériques de sortie servent à convertir des informations numériques sous d'autres formats, ou à transférer des informations dans d'autres systèmes de stockage. Par exemple, le moniteur permet de visualiser du texte et des images et d'interagir avec eux. Parmi les autres périphériques de sortie, citons l'imprimante et le fax-modem, ou encore les haut-parleurs. Une connexion en réseau permet d'envoyer des informations sur d'autres postes.

28 Un Zip permet de stocker beaucoup plus d'informations qu'une disquette.

PÉRIPHÉRIQUES DE SORTIE LES PLUS RÉPANDUS

MATÉRIEL	DESCRIPTION ET MODE D'EMPLOI
CD-ROM	Les systèmes de stockage amovibles vont de la disquette de 1,4 Mo (mégaoctet) aux CD-ROM et DVD allant de 650 Mo jusqu'à 9 Go (gigaoctets). Ces derniers permettent de stocker et de distribuer des produits vidéo ou multimédia.
FAX MODEM 	Faxer une lettre directement depuis votre ordinateur vous évite d'avoir à l'imprimer et à la passer dans le télécopieur. Pour ceci, il vous faut un fax-modem, que vous brancherez sur votre ordinateur directement ou *via* un réseau.
 IMPRIMANTE À JET D'ENCRE	Les imprimantes à jet d'encre ne sont pas aussi rapides que les laser et leur qualité d'impression inférieure, mais leur impression couleur est satisfaisante et très économique. C'est le choix idéal pour qui recherche une imprimante couleur bon marché.
IMPRIMANTE LASER	Très répandue au bureau, l'imprimante laser travaille rapidement et produit un résultat de grande qualité. Elle se relie à l'ordinateur directement ou *via* un réseau pour un partage par plusieurs utilisateurs.
CASSETTE VIDÉO	Un ordinateur permet de réaliser des montages vidéo (et audio), puis de les transférer sur divers supports : cassette, CD-Rom ou DVD. Des présentations audio ou vidéo peuvent être faites directement à partir de l'ordinateur, à l'aide de haut-parleurs et d'un projecteur.

Se Mettre en Réseau

Le réseau constitue les artères de l'entreprise moderne. Il est vital pour la communication à la fois interne et externe à l'entreprise. Le choix s'effectue en fonction du nombre d'utilisateurs et de la vitesse de transmission de fichiers.

29 Choisissez un réseau rapide, y compris pour le transfert de gros fichiers.

30 Utilisez un portable pour vos déplacements, et branchez-vous sur le réseau de l'entreprise.

Partager l'Information

Si votre ordinateur est isolé, le seul moyen de partager des informations est de les imprimer ou de les copier sur un support amovible. Un réseau résoud ce problème en permettant à plusieurs ordinateurs d'accéder aux mêmes données; il autorise aussi l'utilisation commune de périphériques (imprimante, scanner), également reliés au réseau. Il convient alors de choisir un réseau assez rapide dans la transmission de fichiers. Lorsque tous les ordinateurs sont regroupés dans un même service ou bâtiment, on parle de réseau local (LAN – *Local Area Network*).

Rester Simple

Le système le plus simple est le réseau poste à poste; bon marché, il permet de relier un maximum de dix ordinateurs dans un même bureau. Chaque utilisateur sauvegarde ses fichiers sur son propre ordinateur, et tous les membres du réseau peuvent y accéder. Les fichiers étant disséminés sur tous les ordinateurs du réseau, leur traitement n'est pas toujours des plus satisfaisants, mais en cas de panne d'un ordinateur, le réseau reste utilisable. La plupart des systèmes de bureau étant capables de gérer le transfert de fichiers, il n'est pas nécessaire d'installer un système d'exploitation spécifique pour faire fonctionner un réseau poste à poste.

À FAIRE

1. Déterminez le nombre d'utilisateurs qui ont besoin d'être mis en réseau.
2. Examinez la taille des fichiers à transférer : les gros fichiers multimédias nécessitent un réseau plus puissant que des fichiers textes.
3. Choisissez le type de réseau le mieux adapté à vos besoins : poste à poste ou client/serveur.

CONNECTION
INTERNET

IMPRIMANTE

CLIENT

CLIENT

CLIENT

SERVEUR

RÉSEAU CLIENT/ ▲
SERVEUR STANDARD

*Dans un réseau client/serveur, tous les
utilisateurs sont reliés à un puissant serveur
central et aux périphériques d'entrée et de
sortie reliés au réseau.*

31 Prévoyez deux
serveurs pour
éviter la perte
du réseau en cas
de panne.

32 Utilisez des mots
de passe pour
contrôler l'accès
au serveur,
à ses fichiers
et à ses dossiers.

LES RÉSEAUX POUR LES GRANDES ENTREPRISES

Pour permettre à plus d'une dizaine d'ordinateurs
d'échanger des informations efficacement, une
grande entreprise a besoin d'un réseau sophistiqué.
Le type le plus répandu est le système
client/serveur, dans lequel chaque ordinateur (ou
client) est relié à un puissant ordinateur central (le
serveur). Tous les fichiers sont stockés dans le
serveur, qui possède plusieurs disques durs à haute
capacité et un système d'exploitation de réseau. La
centralisation des fichiers permet une organisation
rationnelle, ainsi qu'une bonne protection contre
les virus et la perte de données essentielles (à
condition de les copier régulièrement sur un
support annexe). Le serveur contrôle également les
communications en gérant les performances du
réseau et en surveillant l'accès des utilisateurs à
l'Internet ou au fax. En contrepartie, toute panne
du serveur paralyse l'ensemble du réseau.

EXPLOITER LES STANDARDS DE L'INTERNET

Les anciens réseaux faisaient appel à plusieurs systèmes de transfert d'information, souvent incompatibles entre eux. Le développement de l'Internet a mis fin à ce problème. L'utilisation de matériel et de logiciel en conformité avec les standards Internet vous offre une totale compatibilité avec l'Internet et la possibilité de développer votre propre Intranet (mini-Internet interne et privé). Pour un coût limité, vous pouvez donc échanger efficacement vos informations en interne et à travers la toile mondiale.

33 Utilisez des systèmes de réseaux compatibles avec l'Internet.

34 Pour faciliter le partage d'informations, développez votre Intranet.

35 Prévoyez un réseau qui permette un transfert de données rapide et efficace.

ÉLARGIR VOTRE RÉSEAU

En reliant un LAN à d'autres LAN au sein de votre société, y compris dans d'autres villes ou d'autres pays, vous obtenez un réseau longue distance ou WAN (*Wide Area Network*) qui utilise des lignes téléphoniques dédiées. Vous pouvez également demander à votre prestataire Internet de vous créer un réseau privé virtuel ou VPN (*Virtual Private Network*), sur lequel l'information sera cryptée avant d'être transmise par le biais de l'Internet. Enfin, une connexion Internet vous donne accès à un service de messagerie électronique global, au Web et à d'autres ressources.

ÉTUDE DE CAS
Fiona, directrice d'une petite agence de communication, est chargée de la mise en réseau des ordinateurs d'un bureau régional, qui possède huit ordinateurs. Le personnel s'échange les fichiers au moyen de disquettes, et réclame désormais un service de transfert de fichiers ainsi que l'accès à une messagerie électronique. Fiona fait appel aux services d'un consultant en réseaux, qui la persuade de donner au personnel l'accès à l'Internet, dans un premier

temps réservé à la messagerie électronique. Fiona passe les ordinateurs du bureau en revue et décide de mettre les quatre plus anciens à jour. Un réseau poste à poste est rapidement installé, avec connexion Internet et messagerie électronique. Fiona envoie le personnel en formation et surveille les résultats de la mise en réseau. La productivité s'en trouve accrue et les clients sont satisfaits de pouvoir communiquer avec la société par courrier électronique.

◀ CRÉER UN RÉSEAU SIMPLE

Cette étude de cas prouve que la création d'un réseau simple n'est pas compliquée et réclame peu de connaissances techniques. Rapide et peu coûteuse, elle procure de réels avantages à l'entreprise, à son personnel et à ses clients.

PRÉVOIR LES ÉVOLUTIONS

Les systèmes client/serveur actuels sont puissants mais réclament l'utilisation d'ordinateurs individuels cher à entretenir et difficiles à maintenir à jour. Une solution meilleur marché se présente sous la forme de réseaux modernes et rapides aux standards de l'Internet, composés d'ordinateurs de réseau simplifiés (ou NC – *Network Computer*) reliés à un puissant serveur par des lignes ultrarapides. Les NC n'ont pas besoin d'un processeur très élaboré, ni de disque dur, et ils sont donc peu onéreux à produire et à entretenir. Ils utilisent un langage de programmation appelé Java ou une version simplifiée de Windows, qui leur permet de faire fonctionner les applications hébergées par le serveur. Toute l'activité se déroulant au niveau du serveur, elle est facilement contrôlable mais elle réclame un serveur surpuissant et un réseau très rapide.

Légendes
- ■ *Serveur*
- ▨ *Terminaux*

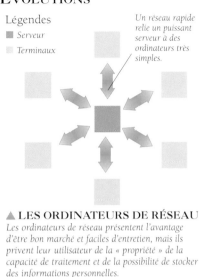

Un réseau rapide relie un puissant serveur à des ordinateurs très simples.

▲ LES ORDINATEURS DE RÉSEAU

Les ordinateurs de réseau présentent l'avantage d'être bon marché et faciles d'entretien, mais ils privent leur utilisateur de la « propriété » de la capacité de traitement et de la possibilité de stocker des informations personnelles.

POINTS À RETENIR

- La plupart des réseaux font appel à des fils de cuivre.
- La fibre optique offre une vitesse de transfert de données nettement meilleure.
- Le système de transmission de données par réseau le plus répandu se nomme Ethernet ; il atteint la vitesse de 10 Mbps (mégabits par seconde).
- Le système appelé Fast Ethernet atteint la vitesse de 100 Mbps.
- Le New Ethernet (1 000 Mbps), est requis pour la transmission du multimédia et des conférences vidéo.

ASSURER LA FIABILITÉ

Un gros réseau est un système compliqué, qui doit être installé et entretenu par des spécialistes. Un administrateur de réseau est généralement employé pour veiller à son bon fonctionnement. Vitesse et fiabilité sont les deux principales considérations. Un réseau lent est synonyme de perte d'efficacité, et une panne peut être grave. Si votre réseau ralentit de façon notable sous haut débit, faites-le inspecter.

36 Étudiez les avantages potentiels de l'utilisation du langage Java pour faire marcher des applications en réseau à partir d'un serveur.

L'IMPORTANCE DU LOGICIEL

En tant que dirigeant, vous devez être capable d'utiliser une sélection de logiciels, dont bon nombre sont devenus des outils de productivité courants. Vous devez savoir utiliser les principaux logiciels, être capable d'en choisir et pouvoir reconnaître les besoins de votre personnel.

37 Attendez qu'un nouveau logiciel ait fait ses preuves avant de l'adopter.

CHOISIR UN LOGICIEL

Si vous faites partie d'une grande entreprise, le choix de logiciels sera pris par votre service informatique. Sinon, ce sera à vous de déterminer quels logiciels répondent à vos exigences. Prenez le temps d'examiner soigneusement les diverses options, car un nouveau logiciel coûte cher et nécessite une formation. Si un choix fait par autrui ne vous convient pas entièrement, proposez des solutions de rechange en présentant vos arguments.

38 Privilégiez les logiciels qui permettent l'échange de données entre applications.

LOGICIELS LES PLUS RÉPANDUS

TYPES DE LOGICIELS

SYSTÈME D'EXPLOITATION
Logiciels contrôlant les fonctions de l'ordinateur, les entrées et les sorties, et l'interface avec l'utilisateur.

LOGICIELS D'APPLICATION
Logiciels spécifiques à certaines activités : édition électronique, gestion, graphisme, etc.

LOGICIELS DE PRODUCTION
Logiciels courants pour la bureautique, notamment les traitements de texte.

PRINCIPALES CARACTÉRISTIQUES

Les systèmes d'exploitation modernes tels que Windows, Linux ou Mac OS utilisent une interface graphique (GUI) conviviale à base d'icônes. Des ordinateurs fonctionnant sous des systèmes d'exploitation différents peuvent partager un même réseau.

Bon nombre de dirigeants sont appelés à effectuer des travaux particuliers qui réclament des outils spécialisés. Choisissez les programmes les plus répandus, apprenez à vous en servir et installez les mises à jour pour rester compatible avec les autres utilisateurs.

Choisissez des logiciels qui permettent l'échange de données entre plusieurs applications. Ainsi, vous pourrez insérer une feuille de calcul dans un document de traitement de texte, de base de données ou de présentation.

Décider d'un Logiciel de Direction

La plupart des cadres utilisent surtout des logiciels de productivité de type bureautique, mais, avec le développement de l'Internet, les applications de messagerie et de navigation se sont également répandues. Peut-être devrez-vous utiliser des outils de gestion des entreprises spécifiques à votre branche d'activité, voire des logiciels d'application spécialisés dans le graphisme, le multimédia ou le dessin industriel. Pour tirer pleinement parti des logiciels spécialisés, une solide formation est indispensable.

39 Quatre-vingts pour cent des utilisateurs n'utilisent que vingt pour cent des fonctions des principaux logiciels.

Choisir un Logiciel

Demandez à vos confrères quels logiciels ils utilisent et ce qu'ils en pensent.

Faites une liste des caractéristiques nécessaires.

Sélectionnez les produits qui pourraient convenir.

Faites votre choix à partir de tests, d'articles comparatifs ou de l'avis d'experts.

MICROSOFT WORD ▼

Microsoft Word est le traitement de texte le plus répandu. Il vous permet de vous constituer plusieurs modèles de lettres, de télécopies et de mémos.

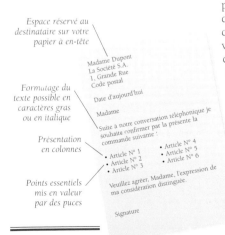

Espace réservé au destinataire sur votre papier à en-tête

Formatage du texte possible en caractères gras ou en italique

Présentation en colonnes

Points essentiels mis en valeur par des puces

Madame Dupont
La Société S.A.
1, Grande Rue
Code postal

Date d'aujourd'hui

Madame

Suite à notre conversation téléphonique je souhaite confirmer par la présente la commande suivante :

• Article N° 1   • Article N° 4
• Article N° 2   • Article N° 5
• Article N° 3   • Article N° 6

Veuillez agréer, Madame, l'expression de ma considération distinguée.

Signature

Utiliser un Traitement de Texte

Le traitement de texte est le logiciel le plus employé par les cadres. La plupart du temps, il sert simplement à rédiger des courriers et des rapports. Cependant, les versions modernes offrent des possibilités quasi identiques à celles des logiciels d'édition électronique professionnels ; très élaborés, ils possèdent des fonctions inutiles pour la plupart des gens.

Apprenez à bien maîtriser les fonctions dont vous avez besoin et laissez les autres de côté. Le plus important est de savoir formater un document, créer des modèles réutilisables et appliquer les différentes polices de caractères et styles (gras, italique, etc.).

UTILISER UN TABLEUR

Pour le dirigeant, le tableur constitue l'outil le plus utile et le plus puissant qui soit. Il permet de créer des feuilles de calculs, tableaux où l'on peut entrer du texte, des chiffres ou des formules dans chaque cellule. L'utilisateur peut choisir un agencement particulier, définir la relation entre les données et établir des formules de calcul. Les données peuvent être présentées sous forme de camembert, de tableau ou de graphique. Outil idéal pour la finance ou tout autre calcul numérique, ils offrent la flexibilité nécessaire à la manipulation de données chiffrées et de formules : établissement de prévisions de ventes, identification de stratégies de coûts ou de rentabilité, etc. Les tableurs les plus récents permettent de publier des données sur un site Internet ou Intranet pour les partager avec vos clients et vos fournisseurs.

POINTS À RETENIR

- Un tableur peut sembler décourageant à première vue, mais une fois maîtrisé c'est un excellent outil d'analyse de données.
- Un tableur réclame une formation plus poussée que la plupart des logiciels.
- Les tableurs modernes offrent une large palette de styles de présentations, ce qui permet de clarifier des informations complexes.
- Pour gagner du temps sur le formatage, sauvegardez un modèle de feuille de calcul régulièrement utilisée.

40 Apprenez à servir d'un tableur en priorité.

LE TABLEUR, UN OUTIL POLYVALENT ▼

L'apprentissage d'un tableur vous permettra d'organiser, d'analyser et de présenter des données (par exemple, des résultats annuels) de la façon qui vous convient le mieux.

Trimestre	01	02	03	04	Total
Ajustement saisonnier					
0.9					
1.1					
0.8					
1.2					
Nombre d'unités vendues	5,644	6,898	5,017	7,525	25,084
Produit des ventes	214,467	262,126	190,637	285,956	953,186
Coût des ventes	124,165	151,757	110,369	165,553	551,844
Marge brute	90,302	110,369	80,268	120,403	401,342
Frais de vente	8,000	8,000	9,000	9,000	34,000
Publicité	10,000	10,000	10,000	10,000	40,000

Attribuez une fonction à chaque colonne et rangée, puis entrez vos données et formules dans les cellules.

Lorsqu'on modifie une donnée, le total est recalculé automatiquement.

Les tableurs les plus employés sont Microsoft Excel et Lotus 1-2-3.

Dans la plupart des cas, il est possible de présenter les données sous forme de camembert, de tableau ou de graphique.

Frais généraux

Prénom	Nom	Adresse	Code postal	Téléphone
Jean	Martin	15, allée des Lilas	17000	05 46 89 70 25
Maurice	Durand	2, rue Pasteur	75001	06 77 44 77 99
René	Bernard	7, route de Paris	57920	03 45 23 85 51

Un article est un ensemble d'informations sur une personne ou une chose.

Un champ est un des éléments de l'article, en l'occurrence le nom du client.

Une table comprend plusieurs articles. Une ou plusieurs tables forment une base de données.

ÉLÉMENTS D'UNE BASE DE DONNÉES ▲
Une base de données se compose d'une ou plusieurs tables, chacune composée de champs et d'articles. Une recherche dans la base de données vous permet de localiser rapidement des informations précises (par exemple la liste de vos clients dans telle ou telle ville).

UTILISER UNE BASE DE DONNÉES

La base de données, plus puissante que le tableur est préférable pour la gestion d'une grande quantité d'informations : liste de diffusion, informations sur ses clients et ses fournisseurs, fiches techniques de ses produits et toutes les informations qui nécessitent une comparaison, une gestion et une analyse. Une base de données simple, dite à table à deux dimensions, n'autorise l'accès qu'aux données contenues dans la base, tandis qu'une base de données relationnelles vous permet de définir des relations entre plusieurs bases. Cette dernière constitue un puissant outil de recherche, de tri et d'analyse d'informations disséminées dans plusieurs bases.

43 À moins d'avoir des besoins spécialisés, choisissez un logiciel du commerce plutôt qu'un logiciel personnalisé.

41 Pour accroître la disponibilité de données, reliez plusieurs bases entre elles.

42 Éditez l'historique des informations que vous consultez régulièrement.

À FAIRE

1. Réfléchissez à la façon dont vous souhaitez utiliser et présenter vos données une fois la base en service.

2. Faites un plan de votre base sur papier avant de la monter à l'écran.

3. Dressez la liste des champs à inclure dans la base.

4. Pensez aux relations éventuelles entre plusieurs bases de données.

FAIRE UNE PRÉSENTATION

Un logiciel de présentation a pour but de faciliter et d'accélérer la création d'une présentation, et il propose de nouvelles façons de distribuer l'information. La maîtrise d'un tel logiciel réclame un bon entraînement, ainsi que des talents de création.

44 Observez attentivement les présentations des autres et inspirez-vous-en.

À FAIRE

1. Définissez clairement le type des présentations que vous aurez à faire.
2. Discutez de vos besoins avec vos collègues et renseignez-vous sur les logiciels et les techniques disponibles.
3. Prévoyez un temps d'apprentissage assez long.
4. Entraînez-vous avant votre première présentation.
5. Faites appel à un graphiste pour une présentation interactive importante.

CHOISIR LE BON LOGICIEL DE PRÉSENTATION

Il convient d'abord de déterminer quel type de présentations vous souhaitez réaliser. Pour une présentation simple, des feuilles à distribuer dans la salle et de transparents pour rétroprojecteur suffiront certainement, tandis qu'une présentation plus complexe fera appel à des séquences audio et vidéo, à des animations et à des effets de transition. Peut-être vous demandera-t-on de réaliser une présentation interactive pour une utilisation sur Internet ou sur DVD. L'un des logiciels de présentation les plus utilisés en entreprise est Microsoft Powerpoint. Macromedia Director, plus puissant et plus flexible, réclame une solide formation.

QUESTIONS À SE POSER

Q Est-ce vraiment à moi de faire ces présentations ?

Q Vais-je être amené à faire des présentations régulièrement ?

Q Quelle sorte de présentations vais-je devoir produire ?

Q Vais-je devoir publier mes présentations sur Internet ?

Q Mon entreprise possède-t-elle déjà un logiciel de présentation ?

Q Puis-je apprendre à utiliser ce logiciel ou ai-je besoin d'un spécialiste ?

45 Distribuez vos présentations interactives sur CD-ROM, par courrier électronique ou *via* un site Internet.

BIEN PRÉSENTER

Le fait qu'un logiciel possède de nombreuses fonctions ne signifie pas que vous devez toutes les utiliser. Ceci est particulièrement vrai des logiciels de présentation, qui vous offrent le choix parmi une large palette de styles, d'effets et de transitions. Il vaut mieux vous en tenir à une présentation simple :

- Choisissez un agencement clair qui ne détourne pas l'attention du contenu de votre présentation.
- Soulignez les points marquants avec des graphismes et des séquences audio ou vidéo, mais limitez les animations et effets de transition inutiles.

 46 Réduisez le texte au minimum et utilisez des puces.

 47 Utilisez des graphismes pour clarifier votre message.

PRODUIRE ▶ UN IMPACT
En ce domaine, souvenez-vous que clarté et simplicité sont les maîtres mots. Évitez de recourir à des effets embrouillés, qui ne font que distraire le spectateur.

POINTS À RETENIR

- Préparez les graphismes et le texte avant de commencer à créer votre présentation.
- Pour appuyer une présentation à l'écran, prévoyez des documents à distribuer à votre auditoire.
- Prévoyez une solution de rechange en cas de panne pour toute présentation électronique.
- Les séquences interactives sont particulièrement adaptées aux sites Internet : elles informent et distraient le client.

ÉVITER LES PROBLÈMES

Souvenez-vous que plus la présentation est complexe et importante, plus il faut de temps et de pratique pour la créer, et plus les choses risquent d'aller de travers. Pour ne pas vous laisser emporter par les possibilités techniques qui s'offrent à vous, pensez à l'importance de votre auditoire. Efforcez-vous d'adapter le contenu, le style et la sophistication de votre présentation au message que vous souhaitez faire passer. Prévoyez suffisamment de temps pour développer votre projet et répétez votre présentation à l'avance, sur place et avec le matériel que vous utiliserez le jour J.

LE COURRIER ÉLECTRONIQUE

*L*e courrier électronique constitue un
moyen bon marché, rapide et efficace
d'envoyer des messages à vos collègues
de bureau ou à l'autre bout du monde.
Apprenez à en faire un usage optimal.

48 Si vous envoyez
un message très
urgent, prévenez
le destinataire
par téléphone.

49 Les téléphones
portables les plus
récents vous
permettent de
recevoir des
messages.

GÉRER UNE MESSAGERIE

Pour envoyer, recevoir, archiver et gérer vos
messages électroniques (ou e-mail), il vous faut
un logiciel de messagerie (Microsoft Outlook,
Qualcomm Eudora Pro ou Netscape
Communicator). Dans une entreprise, le plus
simple est de confier le fonctionnement de la
messagerie à un serveur de réseau. Si vous êtes
connecté en permanence ou de façon régulière,
les messages arrivent directement à l'ordinateur
auquel ils sont destinés. Dans le cas contraire, ils
seront conservés sur le serveur du prestataire
Internet jusqu'à ce que vous alliez les récupérer.

COMMENT FONCTIONNE ▼
UNE MESSAGERIE

L'expéditeur envoie son courrier chez son
prestataire Internet, qui le transmet
à celui du destinataire.

L'expéditeur
écrit un
message sous
son logiciel de
messagerie.

Le courrier est
acheminé par
l'Internet.

Le serveur de courrier
du prestataire Internet
du destinataire reçoit
le message.

Le serveur de
courrier du
prestataire
Internet de
l'expéditeur
reçoit le
message et le
renvoie
immédia-
tement

En l'espace de
quelques
secondes, le
destinataire a
reçu son message.

Utiliser une Messagerie Efficacement

La mauvaise utilisation d'une messagerie électronique est source de perte de temps et d'irritation. Sachez parfaitement utiliser le logiciel.

- Pour une parfaite compatibilité avec vos correspondants, utilisez un logiciel moderne.
- Apprenez à ajouter des pièces jointes à vos messages.
- Classez vos messages dans plusieurs dossiers, et archivez ou effacez les anciens messages.
- Prenez autant de soin à rédiger un e-mail qu'une lettre.

Points à Retenir

- Votre entreprise possède certainement des règles d'utilisation du courrier électronique ; suivez-les.
- Ne présumez jamais que votre courrier a été reçu : certaines personnes ne relèvent pas leur boîte aux lettres régulièrement.
- Lorsqu'un message retourne à son expéditeur, c'est généralement parce que l'adresse du destinataire est erronée.
- Un message électronique n'est pas une forme de courrier sécurisée. Il peut être lu par des personnes autres que son destinataire.
- Pour assurer la confidentialité de messages importants, il existe des programmes de cryptage.

À Faire et à ne Pas Faire

- ✔ Traitez les messages d'entrée rapidement et classez-les.
- ✔ Effacez le courrier sans valeur et non lu, ou utilisez un filtre pour l'effacer automatiquement.
- ✔ Apprenez à vous servir des fonctions répondre et réacheminer.
- ✔ Soyez concis dans vos messages.

- ✘ N'écrivez pas en majuscules, c'est signe de mauvaise humeur.
- ✘ Si vous répondez à un message envoyé à plusieurs personnes ne le retournez pas à tous les destinataires.
- ✘ Évitez les grossièretés.
- ✘ N'utilisez pas votre adresse professionnelle pour envoyez des messages personnels.

50 Entrez les coordonnées de vos correspondants dans le carnet d'adresses de votre logiciel et créez des listes de distribution.

Éviter les problèmes

La plupart des problèmes rencontrés avec une messagerie électronique découlent de malentendus ou d'une mauvaise utilisation. Trop d'entreprises mettent en place un tel système sans former le personnel et sans tenir compte des implications de ce nouveau mode de communication écrite. Faciles et rapides à écrire, les messages électroniques sont souvent utilisés sans discernement. Vous devez apprendre à vos employés à réfléchir à l'utilité d'un message avant de l'envoyer. Est-ce le meilleur moyen de transmettre l'information en question ? Incitez-les aussi à rédiger des messages clairs et concis, et à faire attention à l'orthographe, à la grammaire et à la ponctuation. Souvenez-vous que les lois concernant la diffamation et le droit des contrats s'appliquent aussi aux messages électroniques, et qu'un message irréfléchi ou une note délicate envoyée au mauvais destinataire peuvent causer beaucoup de tort.

UTILISER LE WEB

Le World Wide Web n'est qu'un des aspects de l'Internet, mais la richesse de sa présentation en a fait un domaine en pleine expansion. Il constitue une ressource de plus en plus importante, et il est donc essentiel de savoir l'explorer et l'utiliser.

51 Pour utiliser toutes les fonctions du Web, mettez votre navigateur à jour.

DIFFÉRENCES CULTURELLES

L'Internet est un support mondial qui transcende à bien des égards les frontières des conventions, des nations et des cultures. Il fut développé et adopté à l'origine par des organisations et des individus américains, et sa langue principale est donc l'anglais, mais à mesure que son usage se généralise et que la variété culturelle se développe, on devrait voir se multiplier les sites dans toutes les langues du monde.

DÉBUTER SUR LE WEB

Le Web utilise un langage de programmation baptisé *HyperText Markup Language* (HTML) et un standard de transmission appelé *HyperText Transfer Protocol* (HTTP). Le HTML sert à publier des « pages » contenant du texte, des graphismes et des fichiers audio ou vidéo et permet de relier n'importe quel élément d'une page à une autre page du Web. Un site Internet est constitué de plusieurs pages publiées sur le Web par une personne ou une entreprise. Pour vous connecter, vous devez lancer un navigateur installé sur votre ordinateur, puis demander l'accès à une page Web, qui vous sera délivré par le serveur qui l'héberge.

52 Choisissez le navigateur dont l'utilisation vous paraît la plus intuitive.

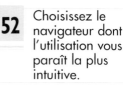

EXPLORER UN MONDE ▶ D'INFORMATIONS
Le Web est une ressource inépuisable qui permet une recherche rapide de nouveaux fournisseurs et de services tels que les formations d'entreprise, les loisirs et les voyages.

UTILISER UN NAVIGATEUR

Le langage HTML ne cesse d'évoluer. C'est pourquoi les navigateurs Internet sont régulièrement mis à jour et il est important de posséder la dernière version en date. Les navigateurs les plus répandus sont Microsoft Internet Explorer et Netscape Navigator, tous deux disponibles gratuitement sur Internet. Faciles à utiliser, ces navigateurs présentent des fonctions qui vous permettent de gagner du temps pendant que vous « surfez » sur (explorez) le Web. Utilisez le menu « Favoris » ou « Bookmarks » pour mémoriser les adresses de vos sites préférés, ou encore le menu « Aller » pour retrouver les sites que vous avez visités récemment.

PROBLÈMES DE SÉCURITÉ

Contrairement à la croyance populaire, les transactions effectuées en ligne sont plus sûres que la plupart des méthodes traditionnelles de paiement par carte bancaire. Il subsiste cependant de réels problèmes de sécurité :

● Protégez vos messages confidentiels à l'aide d'un logiciel de cryptage.
● Sachez qu'un serveur Web peut suivre tous vos mouvements et collecter des informations sur vous.
● Effectuez toute transaction financière sur un serveur crypté et sécurisé. Un symbole en forme de cadenas s'affiche sur la barre menu de la plupart des navigateurs pour indiquer une connexion sécurisée.

http:// indique au navigateur qu'il recherche un document hypertexte.

La plupart des adresses Internet commencent par www.

Un point sépare les différents éléments de l'adresse.

Le suffixe indique plus ou moins le type d'organisation concernée.

http://www.dk.com

Une adresse Internet ne comporte jamais d'espaces.

dk.com est le nom de domaine de l'entreprise ou de la personne propriétaire du site.

« com » est utilisé pour les entreprises, « org » pour les organisations gouvernementales, « ac » pour les écoles, etc.

UNE ADRESSE WEB ▲
Pour permettre au navigateur de retrouver une page parmi les millions que comporte le Web, chaque page possède une adresse unique.

53 Pour accélérer le téléchargement de pages Web, ne chargez pas les images.

COMPRENDRE LES ADRESSES DE SITES INTERNET

Chaque page Web possède une adresse unique, appelée *Uniform Resource Locator* (URL), qui indique l'endroit du serveur où elle est hébergée. Par exemple, www.dk.com est l'adresse de la page d'accueil (ou home page) du site Web de *Dorling Kindersley*. Bien que les adresses Internet commencent par http://, il n'est pas nécessaire de le taper avec les navigateurs récents.

LOGICIELS COMPLÉMENTAIRES

Outre les principaux logiciels utilisés par les cadres, vous aurez peut-être besoin ou envie d'en choisir d'autres parmi la large gamme disponible, mais assurez-vous d'abord d'avoir répondu aux besoins fondamentaux de votre entreprise.

 54 Attendez quelques mois avant d'acheter un logiciel nouvellement sorti sur le marché.

CHOISIR DES OUTILS

 55 Pensez à sauvegarder vos données fréquemment.

Si votre entreprise possède un service informatique, étudiez avec lui les diverses options et n'installez aucun logiciel sans lui en parler. Si vous devez choisir seul, faites vos recherches, demandez conseil à vos collègues et effectuez des essais avec des versions de démonstration avant d'acheter. Vous trouverez sur Internet des « démos » à télécharger.

OUTILS D'ENTREPRISE COMPLÉMENTAIRES

LOGICIELS	AVANTAGES
SYSTÈMES DE SÉCURITÉ	Ces logiciels surveillent l'accès aux données d'un ordinateur ou aux ressources d'un réseau, d'un Intranet ou de l'Internet.
COMPRESSION	Ces outils permettent de compresser et de décompresser des fichiers pour faciliter leur transmission par Internet et leur stockage.
SURVEILLANCE PC ET RÉSEAUX	On utilise ces outils afin d'analyser les performances des ordinateurs et des réseaux, pour détecter et résoudre tout problème.
SAUVEGARDE DE DONNÉES	Essentiels à votre tranquillité d'esprit, ces logiciels s'installent sur un réseau ou un ordinateur et copient toutes vos données.
RECONNAISSANCE ET SYNTHÈSE VOCALE	Très utiles, ces outils d'entreprise servent à contrôler un ordinateur à la voix et lui permettent de vous répondre.
PRODUCTION GRAPHIQUE	Ils permettent de produire rapidement et à peu de frais des brochures, des programmes multimédias et des présentations.

UTILISER DES SYSTÈMES DE GESTION D'ENTREPRISE

Un système de gestion d'entreprise intègre la plupart ou la totalité des principales fonctions organisationnelles (comptabilité, production, vente, approvisionnement, commandes et distribution) et fait appel à une puissante base de données pour stocker et manipuler les informations de l'entreprise.

C'est un système souvent très coûteux à mettre en œuvre, et son développement réclame un engagement de ses utilisateurs pour une efficacité optimale. Son utilisation nécessite en outre une solide formation.

56 Impliquez les utilisateurs dans le choix d'un système informatique lourd.

ÉTUDE DE CAS

Le conseil d'administration d'une manufacture de taille moyenne décide de mettre à jour les systèmes informatiques qui gèrent le traitement de leurs transactions. En effet, les systèmes en place ne peuvent communiquer entre eux, si bien que les informations du système commercial doivent être entrées manuellement dans le système de comptabilité et dans le système de gestion. Cette triple saisie de chaque commande occasionne des retards, des erreurs et des frais. De plus, ces systèmes sont incompatibles avec les nouveaux standards de l'Internet. La direction décide alors de faire installer un système de gestion d'entreprise complet, qui devra impérativement permettre le partage d'informations d'un bout à l'autre de l'Intranet de l'entreprise et de l'Internet. Les commerciaux peuvent désormais saisir les commandes de leurs clients directement sur leurs portables et le système gère les données à chaque étape de la procédure de vente.

**OPTIMISER ▶
SON ACTIVITÉ**

L'installation ou la mise à jour d'un logiciel de gestion d'entreprise peut se révéler très bénéfique. Bien gérée, elle permet d'améliorer la productivité de façon notable.

POINTS À RETENIR

● La mise en œuvre d'un système de gestion d'entreprise est une œuvre d'envergure.

● Prévoyez beaucoup de temps pour la planification et la consultation.

● La procédure commerciale doit être revue de A à Z en collaboration avec le personnel qui l'exploite. Tout doit être prêt avant l'informatisation.

CHOISIR DES SOLUTIONS PERSONNALISÉES

Il existe des systèmes de gestion d'entreprise prêts à l'emploi, mais en raison de la grande diversité des modèles d'entreprises, certaines sont obligées d'engager des développeurs pour adapter un système standard à leurs besoins spécifiques. En cas de modifications importantes, le coût et la complexité du projet s'en trouveront considérablement augmentés. Le budget et les délais prévus risquent fort d'être dépassés, et la faisabilité même du projet n'est pas assurée. Méfiez-vous des solutions entièrement personnalisées partant de zéro, qui sont notoirement difficiles à gérer. Dans tous les cas, établissez un contrat clair et détaillé entre vous et le fournisseur.

EXPLOITER L'INFORMATIQUE

L'importance de l'informatique impose aux cadres de nouvelles exigences. Vous devez être capable d'utiliser l'informatique tout en gérant l'impact de cette technologie sur votre équipe.

PRÉPARER LE PERSONNEL

Lorsqu'un projet informatique ne parvient pas à faire passer ses avantages potentiels, c'est généralement par manque d'attention envers le personnel qui doit l'utiliser. Il est indispensable d'inciter l'équipe à avoir une attitude positive.

 57 Pour tirer le meilleur parti de l'informatique, incitez votre équipe à l'adopter.

QUESTIONS À SE POSER

Q Est-ce que j'attache suffisamment d'importance à l'informatique ?

Q Est-ce que j'implique mon équipe dans les décisions liées à l'informatique ?

Q Tout le monde sait-il se servir du logiciel utilisé ?

Q Le personnel est-il informé sur les problèmes de santé et de sécurité ?

ENCOURAGER VOTRE ÉQUIPE

Les personnes invitées à utiliser une technologie nouvelle font souvent preuve de réticence. Afin d'éviter les problèmes, impliquez votre équipe dans vos décisions concernant tout système informatique qui la touche. Incitez les utilisateurs à réfléchir à la façon dont l'informatique peut les aider dans leur travail. Parlez des progrès informatiques avec votre équipe et encouragez-la à suggérer des moyens d'améliorer les résultats. Donnez l'exemple en montrant les avantages personnels aussi bien que professionnels offerts par l'informatique.

CONNAÎTRE LES QUESTIONS DE SANTÉ ET DE SÉCURITÉ

Travailler de longues heures devant un ordinateur peut être source de désagréments, voire de problèmes de santé si l'on ne se tient pas bien, si l'espace est mal agencé et si l'on ne fait pas suffisamment de pauses. Il est donc important :

- D'être assis confortablement à son bureau et de ménager suffisamment d'espace pour le clavier et la souris.
- De choisir une chaise réglable qui soutient fermement les lombaires.
- D'installer le moniteur de façon à ce que le sommet de l'écran soit à hauteur des yeux.
- De choisir une distance qui vous convient entre l'écran et vos yeux.
- De placer l'écran de façon à réduire au maximum le reflet et les sources d'éblouissement.

- De choisir un moniteur avec support réglable en inclinaison.
- De faire des pauses fréquentes, de vous lever, de vous étirer ou de marcher un peu pour détendre vos muscles.
- De soulager les muscles de vos yeux en levant régulièrement le regard de l'écran, en regardant au loin et en clignant des paupières.

▼ POSITION CORRECTE

Afin d'éviter la fatigue visuelle et musculaire, choisissez une bonne position lorsque vous travaillez devant un clavier. Votre souris doit rester à portée de main.

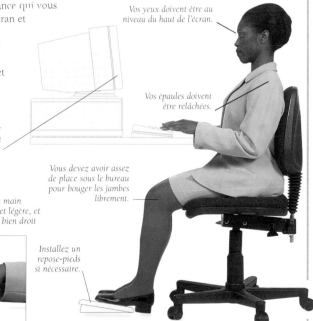

Vos yeux doivent être au niveau du haut de l'écran.

Vos épaules doivent être relâchées.

Le moniteur ne doit refléter ni la lumière électrique ni la lumière naturelle.

Vous devez avoir assez de place sous le bureau pour bouger les jambes librement.

Gardez la main détendue et légère, et le poignet bien droit

Installez un repose-pieds si nécessaire.

ÉLIMINEZ LES RÉTICENCES

Il ne sert à rien de faire de gros investissements technologiques si les utilisateurs ne reçoivent pas une formation leur permettant d'utiliser efficacement le matériel et le logiciel. Afin de combattre les éventuelles réticences, expliquez les raisons qui vous ont fait choisir la nouvelle technologie en question et développez une culture d'entreprise qui encourage le personnel à accroître ses compétences en informatique.

▼ STAGES DE FORMATION

Une formation de groupe dispensée par un bon formateur est un moyen efficace d'apprendre un nouveau logiciel, et en particulier si le stage est adapté aux besoins spécifiques de votre personnel.

Expliquez les avantages d'une formation	Récompensez la compétence	Donnez une bonne formation et suivez les résultats

AIDER L'ÉQUIPE À APPRENDRE ▲

Les cadres partent trop souvent du principe que le personnel va se précipiter sur la première formation venue. Or ceci est rarement le cas, et il vous faudra peut-être faire preuve de persuasion.

À FAIRE ET À NE PAS FAIRE

✔ Écoutez les utilisateurs et demandez-leur de définir leurs besoins en matière de formation.

✔ Intégrez la compétence en systèmes informatiques dans l'évaluation régulière de votre personnel.

✔ Choisissez de bons formateurs.

✘ Évitez d'imposer un stage avant d'avoir parlé avec votre équipe de ses besoins.

✘ Ne fixez aucune date avant d'avoir vérifié la disponibilité des personnes concernées.

✘ Ne pensez pas qu'une formation standard soit adaptée à tous.

58 Les formations les plus efficaces sont celles qui offrent des sessions courtes.

59 Incitez le personnel compétent à aider les collègues les moins qualifiés.

CHOISIR UNE MÉTHODE DE FORMATION

MÉTHODE	AVANTAGES	INCONVÉNIENTS
SUR LE TAS	Méthode rapide pour les équipes utilisant déjà des programmes similaires.	Peut se révéler lente et très difficile pour les personnes inexpérimentées ou peu motivées.
AVEC LE MANUEL	Un bon manuel aidera les utilisateurs expérimentés à résoudre leurs problèmes à mesure qu'ils apprennent.	De nombreux manuels sont mal écrits et peuvent embrouiller les utilisateurs les moins expérimentés.
OUVRAGES SPÉCIALISÉS	Les ouvrages traitant de logiciels spécialisés sont souvent plus utiles que le manuel.	Souvent volumineux, ils sont plus intimidants qu'utiles pour les novices.
STAGES DE FORMATION	Une formation organisée avec un bon enseignant permet d'apprendre rapidement.	Relativement coûteuse, elle oblige l'équipe à s'absenter du bureau pendant plusieurs jours.
FORMATION INTERNE	Méthode d'apprentissage flexible pour les petits groupes, avec des cours répondant à leurs besoins.	Plus onéreuse qu'une formation externe et réclame plus d'organisation.
FORMATION EN LIGNE ET SUR CD	Les meilleurs logiciels sont très souples et efficaces pour les personnes motivées.	Nécessitent un ordinateur multimédia et un investissement personnel de la part de l'utilisateur.

ORGANISER UNE FORMATION

La plupart des utilisateurs ont des exigences très précises quant à leur logiciel, et ont rarement besoin de connaître toutes ses fonctions. Aussi, concentrez la formation sur les parties du logiciel dont ils se servent, et formez seulement un ou deux membres de l'équipe aux caractéristiques moins souvent utilisées. Si possible, organisez une formation interne plutôt que dans un établissement de formation, et demandez une formation adaptée aux besoins. Assurez-vous de la disponibilité de stages complémentaires et de la possibilité de trouver de l'aide en cas de problèmes.

À FAIRE

1. Parlez de la formation avec les stagiaires.
2. Étudiez les différentes options et demandez conseil auprès d'autrui.
3. Assistez à un stage similaire avant de choisir un formateur.
4. Donnez aux stagiaires tous les détails de leur formation.

PRÉVENIR LES PROBLÈMES
AU SEIN DU PERSONNEL

Pour éviter les problèmes, diffusez vos directives concernant l'utilisation des ressources informatiques, et plus précisément des e-mails et du Web. En cas de surveillance de l'utilisation de l'informatique, informez-en votre équipe.

60 Apprenez à votre équipe à bien se servir du logiciel de courrier électronique.

POINTS À RETENIR

● Donnez à votre personnel une formation complète pour l'utilisation du système de courrier électronique.

● Comparez le coût de la surveillance de votre équipe à la nécessité de réduire la perte de temps et de maintenir la productivité.

● Informez le personnel que l'utilisation de l'informatique est surveillée.

ÉDICTER DES RÈGLES D'UTILISATION DU COURRIER ÉLECTRONIQUE

Une entreprise se doit d'avoir des règles d'utilisation précises. Ces directives doivent spécifier que le courrier électronique est la propriété de l'entreprise, que l'équipe peut être surveillée et que tous les messages sont archivés en tant que documents de l'organisation. Expliquez à votre personnel le statut légal du courrier électronique et définissez clairement dans quels cas il lui est permis d'en faire une utilisation privée.

ÉDICTER DES RÈGLES D'UTILISATION DU WEB

Lorsque le personnel est relié pour la première fois au Web, il est normal qu'il passe un peu de temps à explorer les sites et à se familiariser avec cet outil. C'est une bonne chose, mais il convient d'imposer rapidement des règles pour limiter la perte de temps en ligne et interdire la visite de sites inappropriés. Pour réduire le risque de virus, interdisez le téléchargement de logiciels à tous, hormis l'administrateur de réseau. Un logiciel de serveur vous permettra d'interdire l'accès aux sites inappropriés et de contrôler l'utilisation du Web.

61 Demandez de réduire au minimum les e-mails personnels.

62 Apprenez à utiliser le filtrage du logiciel de courrier électronique.

GARDER LE PERSONNEL INFORMÉ

Les progrès rapides de l'informatique ont un impact non négligeable sur les entreprises. Afin de repérer les opportunités, il est important d'inciter vos responsables à se tenir au courant des changements. Proposez-leur de se concentrer sur les technologies importantes pour votre entreprise et sur l'évolution des logiciels dont vous vous servez. Il convient également de garder un œil sur les progrès plus généraux, notamment en matière de vitesse des réseaux ou de communication sans fil.

63 Incitez le personnel à avoir une connexion Internet à la maison pour apprendre plus rapidement.

Parcourir occasionnellement les revues spécialisées dans l'Internet ou l'informatique.

Informer régulièrement le personnel compétent et s'intéresser au sujet.

S'abonner à des listes de diffusion concernant l'informatique pour les cadres.

Lire les pages technologies dans les journaux et les magazines.

Avoir un ordinateur à la maison et surfer sur le Web.

◄ SE TENIR AU COURANT

Souvenez-vous qu'il est important pour votre carrière de comprendre les avantages de l'informatique vis-à-vis de votre équipe et de votre entreprise. Développez votre propre stratégie pour vous tenir au courant des progrès et encouragez votre équipe à travailler dans le même sens.

À FAIRE ET À NE PAS FAIRE

✔ Aidez votre équipe à rester à jour des derniers progrès.

✔ Établissez des directives d'utilisation des ordinateurs, des ressources du réseau et de l'Internet.

✔ Informez de la surveillance informatique.

✘ Ne vous attendez pas à ce que votre personnel s'intéresse de lui-même aux nouvelles technologies.

✘ N'attendez pas que le personnel sache se servir tout de suite d'une nouvelle technologie.

✘ Créez un forum de discussion interne.

CONTRÔLER VOTRE ÉQUIPE

La surveillance d'une équipe dans la limite autorisée par les derniers systèmes comporte des implications éthiques et pratiques ; elle ne doit pas se faire sans que le personnel en soit informé. Sachez qu'une surveillance sans but précis ne sert à rien, mobilise inutilement des ressources humaines et une partie du réseau, et peut facilement miner le moral de vos employés.

REVOIR

LA PROCÉDURE COMMERCIALE

La procédure commerciale d'une organisation évolue souvent au fil du temps, pour s'adapter à l'entreprise ou à son marché. Il est indispensable de la réviser afin de la rendre aussi efficace que possible avant de mettre en place les solutions informatiques qui la soutiendront.

64 Partez du principe qu'il existe toujours une meilleure façon de faire les choses.

65 Écoutez vos clients et votre équipe afin de trouver de nouveaux débouchés.

POINTS À RETENIR

● Une procédure n'est pas forcément efficace parce que « l'on a toujours fait comme ça ».

● Une procédure commerciale devient rapidement statique et rigide, tandis que les besoins de l'entreprise changent rapidement.

● La question de l'informatique ne doit pas être abordée tant que la meilleure stratégie de procédure commerciale n'a pas été trouvée.

*ANALYSE DE ▶
LA SITUATION
Examinez votre organisation sous un jour nouveau, en étudiant chaque aspect de votre procédure commerciale pour déterminer des moyens de l'améliorer.*

ANALYSER LA SITUATION ACTUELLE

Dans un monde en constante évolution, il peut arriver que certains aspects de votre procédure commerciale ne soient plus aussi nécessaires ou efficaces qu'au jour de leur création. Avant de mettre en place une solution informatique de grande envergure, commencez toujours par réévaluer vos procédures commerciales. Vérifiez que votre stratégie commerciale n'a pas changé depuis la mise en place de la procédure en vigueur.

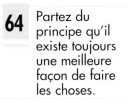

Un membre de l'équipe évalue l'évolution des besoins commerciaux.

Un autre étudie la concurrence afin de tester de nouvelles options.

REDÉFINIR LA PROCÉDURE COMMERCIALE

Une fois la situation actuelle analysée, dressez une « liste de souhaits » qui décrit votre procédure commerciale idéale. Incluez dans votre équipe un bon stratège informatique apte à vous conseiller, mais il est encore trop tôt pour envisager tel ou tel outil informatique. Proposez aux utilisateurs un scénario « sans nuages » pour découvrir leur procédure idéale. Si possible, faites intervenir vos clients et vos fournisseurs.

66 Étudiez d'autres secteurs d'activité et inspirez-vous de leurs bonnes idées.

SAVOIR ÉVOLUER ▷
Revoir la stratégie commerciale et les procédures de base prend du temps, mais c'est une étape nécessaire lorsqu'on envisage un gros investissement informatique.

ÉTUDE DE CAS
Un concessionnaire automobile de premier plan possède un système de traitement des transactions dépassé et souhaite l'actualiser. Au préalable, la direction décide de mener une étude complète du marché et des procédures commerciales existantes.
La stratégie à long terme est révisée, puis on demande aux équipes travaillant sur la procédure de base de faire part de leurs idées pour rendre la procédure plus efficace.
Les clients et les fournisseurs sont associés à cette étude et une liste de leurs besoins est dressée. Des idées d'utilisation de l'informatique pour améliorer la procédure sont mises en avant, mais la révision de la procédure n'est pas limitée par le choix d'un logiciel spécifique. La société examine la situation dans d'autres secteurs et observe l'importance croissante de l'Internet ; elle demande donc à ce que tous ses logiciels soient compatibles avec l'Internet. Finalement, le cahier des charges est envoyé aux fournisseurs potentiels et l'un d'entre eux remporte le marché.

PLANIFIER UNE SOLUTION INFORMATIQUE

> **Mettez-vous d'accord sur la procédure commerciale avec l'encadrement et les utilisateurs.**

> **Faites la liste des besoins nécessaires à la gestion de la procédure par un système informatique.**

> **Évaluez les solutions potentielles avec le service informatique.**

> **Assurez-vous que les utilisateurs adhèrent au nouveau système et donnez-leur une formation complète.**

CONCEVOIR UNE SOLUTION

Une fois que vous avez redéfini votre stratégie, examiné votre procédure actuelle et décidé des changements à effectuer, vous pouvez envisager des solutions informatiques spécifiques avec des fournisseurs potentiels. En utilisant l'analyse de votre procédure idéale, faites une description détaillée des résultats que vous attendez du nouveau système. Ce n'est pas à vous de déterminer de quelle manière le logiciel doit offrir ces résultats ; laissez les fournisseurs libres de suggérer plusieurs solutions que vous n'aviez peut-être pas envisagées. Pensez à spécifier avec quels systèmes existants le nouveau devra pouvoir communiquer, et exigez un logiciel compatible avec l'Internet pour faciliter les échanges d'informations.

PRÉVOIR LES RESSOURCES

Afin de prévoir les ressources dont vous aurez besoin à l'avenir, imaginez comment votre organisation devra travailler dans un monde de plus en plus dominé par l'Internet. Créez une procédure sans faille, qui répond aux besoins de la clientèle.

67 Les nouvelles ressources doivent viser à l'amélioration de la productivité.

68 Prévoyez de faire de plus en plus de commerce en ligne.

REGARDER DEVANT SOI ▼

Pour prévoir de nouvelles ressources informatiques, examinez la situation actuelle, prenez note des suggestions de l'équipe, puis pensez à l'avenir en vous concentrant sur l'efficacité du travail avec les clients et les fournisseurs.

SE TOURNER VERS L'AVENIR

L'informatique évolue aujourd'hui si rapidement qu'il devient très difficile de prévoir les ressources dont vous aurez besoin d'ici un an ou deux. Il est évidemment impossible de prédire l'avenir, mais prenez tout de même le temps d'imaginer ce que sera votre entreprise dans deux ou trois ans, et de réfléchir à la manière dont vous souhaitez faire des affaires dans le futur. Concentrez-vous sur le nombre de personnes susceptibles d'utiliser vos systèmes informatiques, et sur le type de services dont vos clients auront besoin. Prêtez une attention particulière au commerce par Internet.

Recherchez un partage d'information efficace avec vos clients et vos fournisseurs.

Œuvrez vers le partage des bases de données en interne, ainsi qu'avec vos fournisseurs et vos clients.

Soyez à l'écoute des suggestions des utilisateurs et de leurs demandes d'outils plus performants.

Assurez-vous que vos systèmes et vos outils fonctionnent en ligne avec vos fournisseurs et vos clients.

Examinez la modernité de vos systèmes et outils actuels.

Vérifiez que vos systèmes sont aussi efficaces que ceux de la concurrence.

DÉTERMINER VOS BESOINS

Demander à vos clients et à vos fournisseurs ce qu'ils pensent de votre manière de travailler et réfléchissez à la façon dont l'informatique peut améliorer vos relations avec eux. Identifiez les avantages et les inconvénients des systèmes existants, cherchez à savoir comment vos concurrents utilisent l'informatique, et prenez en compte des idées venues d'autres secteurs d'activité. Recherchez des logiciels qui offrent les résultats escomptés, puis déterminez vos besoins en termes de matériel.

POINTS À RETENIR

● Pour la majorité des entreprises, adopter l'Internet en tant qu'outil majeur est une obligation.

● Un réseau interne efficace et une connexion à l'Internet rapide et fiable sont vitaux.

● En termes de planification des réseaux, prévoyez une véritable explosion du trafic dans les années à venir.

VERS L'ENTREPRISE ÉLECTRONIQUE

Le développement de l'Internet a changé le monde des affaires. Les entreprises qui ont rapidement compris ses implications commerciales se sont concentrées sur la mise en place de systèmes informatiques compatibles avec les standards de l'Internet. De nombreuses entreprises s'adaptent au commerce électronique; mais ceci n'est qu'un aspect de la transformation en une entreprise électronique, dans laquelle toutes les procédures et tous les systèmes sont intégrés pour fournir un service sans faille et transparent.

PERMETTRE LA DIVERSITÉ

Les équipes auront des besoins extrêmement différents en termes d'informations et d'informatique. Certaines auront simplement besoin d'accéder par réseau à vos bases de données et d'y entrer des informations à l'aide d'outils simples et efficaces. D'autres auront besoin d'ordinateurs puissants, de logiciels de conception ou de graphisme. Les services de vente et d'après-vente nécessiteront un accès rapide aux bases de données clients et produits, ainsi que des outils analytiques. Un bon Intranet se révélera utile à la plupart du personnel pour accéder facilement au fonds commun d'informations de l'entreprise.

69 Voyez comment d'autres secteurs de l'industrie imaginent l'avenir.

70 Choisissez des systèmes évolutifs pour répondre à vos besoins futurs.

TRAVAILLER AVEC LES INFORMATICIENS

Le succès de l'informatisation dépend en grande partie des bonnes relations entre les informaticiens et le reste de l'entreprise. L'évolution objective du service apporté pourra être un point de départ pour le dialogue.

71 Choisissez des informaticiens qui savent communiquer avec les utilisateurs.

72 Imaginez un questionnaire d'évaluation du service informatique par les utilisateurs.

ÉVALUER LE SERVICE INFORMATIQUE

Un bon service informatique doit pouvoir comprendre les problèmes de l'entreprise et fournir des conseils stratégiques à l'encadrement. Il doit mettre en place des systèmes de qualité, assurer la formation et l'assistance des utilisateurs, et savoir communiquer efficacement. Évaluez sa qualité et comparez le coût du service avec celui d'un prestataire extérieur.

ÉVALUER VOTRE SERVICE INFORMATIQUE

OUI | NON

Est-il facile de communiquer avec votre service informatique ?

Impliquez les informaticiens dans la planification des procédures et des systèmes.

Expliquez la nécessité d'un dialogue simple et concentré sur l'entreprise.

Les cadres du service informatique se concentrent-ils plus sur les besoins de l'entreprise que sur la technologie ?

Demandez-leur d'étudier les avantages des nouvelles technologies.

Incitez les informaticiens à orienter l'informatique vers les besoins de l'entreprise.

Le service informatique vous traite-t-il comme un client important ?

Donnez-leur régulièrement un retour d'informations et encouragez la communication.

Demandez-vous si un prestataire extérieur pourrait offrir un meilleur service.

SE CONCENTRER SUR LES BESOINS DE L'ENTREPRISE

Pour qu'une entreprise tire le meilleur parti de l'informatique, elle doit impliquer les cadres du service informatique dans les décisions commerciales. Il est aussi important qu'un cadre s'y connaisse en informatique ainsi qu'en stratégie commerciale, afin d'expliquer au conseil d'administration les implications des nouvelles technologies. Les informaticiens doivent travailler en étroite collaboration avec les cadres et les utilisateurs de tous les services pour assurer l'intégration totale de la fonction informatique au sein des opérations de l'entreprise. Le personnel qui assure l'assistance aux utilisateurs, gère les systèmes et organise la formation doit savoir communiquer afin d'offrir le meilleur service possible.

À FAIRE

1. Impliquez votre équipe dans l'évaluation des performances du service informatique.

2. Créez de bonnes relations avec les informaticiens.

3. Expliquez au service informatique l'intérêt de leurs interventions vis-à-vis de l'entreprise.

4. Prenez des informaticiens dans vos équipes de projets commerciaux.

UNE BONNE RELATION DE TRAVAIL ▲
Une utilisation efficace de l'informatique est aujourd'hui tellement importante pour le succès commercial qu'il est essentiel d'établir de bonnes relations de travail entre les informaticiens et les autres membres de l'entreprise.

ÉTABLIR DE BONNES RELATIONS

Le personnel est fréquemment intimidé par les spécialistes en informatique et trouve difficile de leur demander de l'aide ou des conseils. Servez-vous alors d'événements officiels et officieux pour développer des liens et établir de bonnes relations et organisez ponctuellement des réunions.

 73 Incitez les informaticiens à se concentrer sur les vrais besoins.

Travailler avec
des Consultants

Les consultants apportent des compétences et une expérience qui n'est pas disponible en interne. Cependant, vu leurs honoraires élevés, il est important de savoir quand les employer et comment gérer cette relation professionnelle.

74 Lorsque vous employez des consultants, définissez toujours des objectifs précis.

Choisir un Consultant

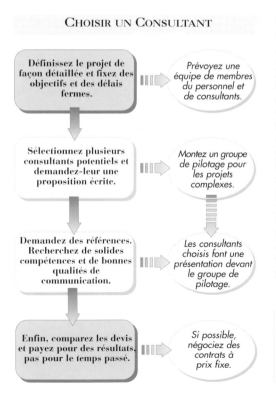

Définissez le projet de façon détaillée et fixez des objectifs et des délais fermes.

Prévoyez une équipe de membres du personnel et de consultants.

Sélectionnez plusieurs consultants potentiels et demandez-leur une proposition écrite.

Montez un groupe de pilotage pour les projets complexes.

Demandez des références. Recherchez de solides compétences et de bonnes qualités de communication.

Les consultants choisis font une présentation devant le groupe de pilotage.

Enfin, comparez les devis et payez pour des résultats, pas pour le temps passé.

Si possible, négociez des contrats à prix fixe.

Quand Employer un Consultant

Il existe plusieurs cas de figure pour lesquels on doit envisager de faire appel à des consultants. Au plan stratégique, un point de vue indépendant et objectif peut se révéler très utile. Au plan opérationnel, un consultant peut apporter des compétences spécifiques ou une expérience non disponibles en interne. La phase d'exécution d'un nouveau projet nécessite souvent des compétences spécialisées pour un temps limité ; l'utilisation de consultants est alors plus indiquée que l'embauche de nouveaux employés.

75 Veillez au transfert des compétences vers votre personnel.

Choisir un Consultant

Avant de choisir un consultant, assurez-vous que vous avez clairement défini le projet, ses objectifs, les délais et les résultats escomptés. Si le projet concerne plusieurs services de l'entreprise, formez un groupe de pilotage composé de cadres supérieurs de chacun des départements pour superviser le travail. Préparez un dossier de conseil et sélectionnez plusieurs cabinets potentiels. Invitez-les à faire une présentation devant le groupe de pilotage et prenez leurs références.

▼ **RENCONTRER LE CONSULTANT**
Pour bien choisir un consultant, intéressez-vous plus à ses compétences et à ses références qu'à ses tarifs.

76 Pour assurer la productivité de vos consultants, fournissez-leur à temps toutes les informations dont ils ont besoin.

À Faire et à ne Pas Faire

✔ Préférez une approche du projet en équipe, qui réunira des cadres internes et des consultants.

✔ Déterminez les rôles et les responsabilités des consultants et des cadres internes.

✔ Formez un groupe de pilotage composé de cadres supérieurs pour diriger et contrôler le projet jusqu'à son terme.

✘ N'employez pas de consultant en contrat à durée indéterminée sans vous être mis d'accord sur ses buts.

✘ N'hésitez pas à effectuer des contrôles une fois le consultant engagé.

✘ N'employez pas de consultants pour des tâches qui peuvent être effectuées en interne à moindre coût.

Gérer la Relation

Il convient de désigner un chef de projet, qui contrôlera la mission et gérera quotidiennement les relations avec les consultants. Pour les projets à long terme, il est particulièrement important de développer de bonnes relations entre les membres clés de l'équipe et d'encourager les contacts informels. Organisez régulièrement des réunions avec les différents participants et rappelez les objectifs et les délais afin de maintenir le projet sur les rails. Résolvez rapidement tout problème entre les cadres de l'entreprise et les consultants, et ne laissez pas les problèmes dégénérer.

Sous-Traiter l'Informatique

Aujourd'hui il est de plus en plus fréquent pour une entreprise de sous-traiter tout ou partie du service informatique. Ce peut être une bonne solution, mais elle nécessite une évaluation et une gestion attentives.

77 Envisagez de laisser votre service informatique faire des offres de services.

Points à Retenir

● Une activité commerciale se révèle parfois d'une importance stratégique, mais ce n'est pas nécessairement le cas de son informatique, qui peut alors être sous-traitée.

● En choisissant un fournisseur unique ou en signant un contrat à long terme, vous perdez toute flexibilité.

● Il est envisageable de sous-traiter tout une fonction plutôt que les systèmes informatiques (par exemple, la fonction traitements et salaires).

Évaluer les Avantages et les Risques

La sous-traitance est une option attrayante car elle donne en théorie accès à des compétences et à une technologie à la pointe du marché tout en permettant des économies sur le budget informatique. Cependant, si la sous-traitance n'est pas bien gérée, elle peut limiter la flexibilité de votre entreprise et le contrôle sur son administration. Alors, considérez chacun de vos systèmes informatiques et estimez si vous pouvez faire des économies sans perdre en flexibilité. Demandez-vous si un système a une valeur stratégique pour votre entreprise (c'est rarement le cas), une importance commerciale cruciale, ou simplement des caractéristiques de service de base.

Négocier les Contrats

Lorsque vous choisissez un sous-traitant et négociez un contrat, il est très important de ne pas donner trop de pouvoir à un prestataire unique. Si vous prévoyez de sous-traiter plusieurs systèmes, faites une liste de fournisseurs potentiels et demandez-leur de faire des offres détaillées pour chaque système. Si vous n'avez pas l'habitude des contrats de sous-traitance, engagez un consultant et un avocat spécialisé pour vous aider. Examinez chaque offre avec soin pour éliminer les « petits suppléments » qui permettent d'augmenter la facture.

78 Ne signez que des contrats à court terme, avec objectifs d'efficacité et clauses de pénalités.

ANALYSER LE PROCESSUS DE DÉCISION

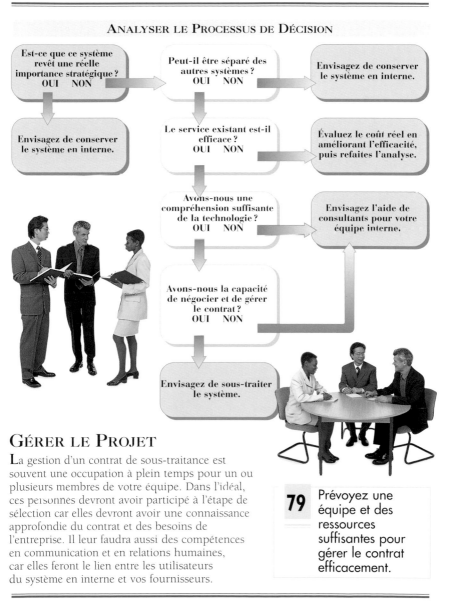

Est-ce que ce système revêt une réelle importance stratégique ?
OUI NON

Peut-il être séparé des autres systèmes ?
OUI NON

Envisagez de conserver le système en interne.

Envisagez de conserver le système en interne.

Le service existant est-il efficace ?
OUI NON

Évaluez le coût réel en améliorant l'efficacité, puis refaites l'analyse.

Avons-nous une compréhension suffisante de la technologie ?
OUI NON

Envisagez l'aide de consultants pour votre équipe interne.

Avons-nous la capacité de négocier et de gérer le contrat ?
OUI NON

Envisagez de sous-traiter le système.

GÉRER LE PROJET

La gestion d'un contrat de sous-traitance est souvent une occupation à plein temps pour un ou plusieurs membres de votre équipe. Dans l'idéal, ces personnes devront avoir participé à l'étape de sélection car elles devront avoir une connaissance approfondie du contrat et des besoins de l'entreprise. Il leur faudra aussi des compétences en communication et en relations humaines, car elles feront le lien entre les utilisateurs du système en interne et vos fournisseurs.

79 Prévoyez une équipe et des ressources suffisantes pour gérer le contrat efficacement.

53

Tirer Profit de l'Internet

L'Internet est le plus important rebondissement que le monde des affaires ait connu depuis la révolution industrielle. Pour assurer le succès de son entreprise, le cadre doit être conscient des profonds changements qui en découlent.

La Révolution Internet

En ouvrant de nouveaux marchés, l'Internet offre des perspectives extraordinaires. Pour garder une longueur d'avance, il vous faut apprendre rapidement à utiliser l'Internet plus efficacement que vos concurrents.

80 Apprenez en priorité à vous servir de l'Internet dans vos affaires.

81 Envisagez une stratégie de vente mondiale.

82 Servez-vous de l'Internet pour atteindre des niches commerciales.

Réaliser votre Potentiel

L'importance de l'Internet peut être comparée à l'invention de l'imprimerie, du téléphone ou de la télévision. Il a déjà profondément bouleversé le monde des affaires. Certaines entreprises en profiteront, mais beaucoup resteront sur la touche et celles qui ne sauront pas réagir assez tôt à la concurrence et à l'évolution des marchés verront même leur existence sérieusement menacée. Alors, apprenez à vous servir de l'Internet dans vos affaires, étudiez les moyens d'utiliser l'Internet pour trouver de nouveaux marchés, accélérer les échanges avec vos fournisseurs et vous rapprocher de vos clients.

COMMENT UTILISER L'INTERNET

FONCTION	UTILITÉ
COURRIER ÉLECTRONIQUE (E-MAIL)	Outil fondamental pour la plupart des entreprises, le courrier électronique est le moyen le plus efficace, le plus rapide et le moins onéreux d'envoyer des messages et tous les types de fichiers informatiques.
WORLD WIDE WEB	Autre outil indispensable, le Web offre un accès à un monde d'informations qui permet à une entreprise de réduire ses coûts et de développer des relations personnalisées avec ses clients. Le Web constitue aussi un outil de recherche commerciale indispensable.
NEWSGROUPS	Les newsgroups servent notamment à effectuer une recherche de clientèle ou à se tenir au courant des dernières nouvelles dans sa branche industrielle. La plupart des logiciels de courrier électronique lisent également les newsgroups.
LISTES DE DIFFUSION	Couvrant des milliers de sujets spécialisés, les listes de diffusion, mises à jour régulièrement, sont disponibles par e-mail. Abonnez-vous à des listes de diffusion pour effectuer des recherches en produits, clientèle ou informatique.
FORUMS DE DISCUSSION	Les forums de discussion permettent de se réunir et de « discuter » par l'intermédiaire du clavier. Le texte que vous tapez s'inscrit sur l'écran des autres utilisateurs. Les forums de discussion privés permettent d'organiser des réunions de travail.
FTP (FILE TRANSFER PROTOCOL)	Le FTP permet l'échange de fichiers entre serveurs reliés à l'Internet, quel que soit le type d'ordinateur que vous utilisez. Les navigateurs récents comportent une fonction FTP. Un grand nombre d'informations et de logiciels sont disponibles gratuitement sur les serveurs FTP
GOPHER	Gopher est une fonction de l'Internet dédiée à la recherche d'informations. Elle existait avant le World Wide Web, qui l'a largement éclipsée, mais on y trouve des informations spécialisées qui ne sont pas disponibles sur le Web.

RÉDUIRE LES COÛTS

L'Internet se traduit par une concurrence acharnée. Profitez-en pour réduire les coûts d'exploitation. Utilisez le Web pour diminuer vos frais de communication et de voyages et pour mettre en concurrence les fournisseurs.

83 N'oubliez pas que l'Internet remet les clés de la décision entre les mains du client.

POINTS À RETENIR

- Les communications téléphoniques par Internet sont de moins bonne qualité que celles du réseau traditionnel, mais elles s'améliorent et sont moins chères.

- Si vous n'exploitez pas toutes les capacités de votre réseau longue distance, servez-vous-en pour vos appels téléphoniques et vos télécopies internes.

- L'augmentation de la bande passante permettra bientôt d'utiliser l'Internet pour des conférences en ligne.

RÉDUIRE LE COÛT DES COMMUNICATIONS

L'Internet permet de réduire considérablement la facture de téléphone d'une entreprise. Pour envoyer vos documents, utilisez le courrier électronique plutôt que le fax, le courrier traditionnel ou les coursiers. Si vous envoyez un grand nombre de télécopies à l'international, sachez qu'il existe des services Internet qui transmettent les télécopies pour un coût inférieur au réseau téléphonique. Si vos bureaux sont reliés par un réseau longue distance (WAN) performant, étudiez la possibilité de limiter les déplacements pour réunions de travail en mettant en place un système de vidéoconférence. Utilisez toutes les possibilités du Web et de votre Intranet.

◀ RÉDUIRE LES COÛTS GRÂCE À LA VIDÉOCONFÉRENCE

Un réseau rapide permet des vidéo-conférences en ligne avec vos collègues travaillant à domicile ou loin de vos bureaux.

84 Utilisez l'Internet pour multiplier vos appels d'offres auprès de fournisseurs potentiels.

RÉDUIRE LES FRAIS DE DÉPLACEMENT

L'industrie touristique a été l'une des premières à exploiter l'Internet, qui permet aux agences de proposer des offres de dernière minute et de réduire le nombre de places d'avion et de chambres d'hôtel vides, tout en offrant au client des tarifs très intéressants. Utilisez les sites Web de voyagistes pour préparer vos voyages d'affaires, comparer les prix et vous assurer que vous bénéficiez des meilleures réductions et des offres réservées aux habitués. Les meilleurs sites proposent une liste de diffusion.

Se servir de l'Internet pour le recrutement du personnel.

À FAIRE

1 Cherchez des sites Web de l'industrie touristique.

2. Abonnez-vous aux listes de diffusion.

3. Utilisez les sites de comparaison des prix pour trouver les meilleures offres.

4. Vérifiez les offres et réservez en ligne auprès de vos compagnies aériennes et de vos hôtels préférés.

Rechercher en ligne des offres de voyages à prix réduits.

Montrer aux employés comment réduire les coûts grâce à l'Internet.

Rechercher des moyens de réduire le coût des communications et des achats.

Utiliser l'Internet pour trouver de nouveaux fournisseurs.

◀ **FAIRE DES ÉCONOMIES**
Un cadre avisé étudiera comment il peut utiliser le Web pour faire des économies dans les grands postes de dépenses de l'entreprise, quelle que soit sa taille ou sa catégorie. De plus, c'est un excellent moyen pédagogique pour montrer au personnel comment faire des économies.

RÉDUIRE LE COÛT DES ACHATS

Grâce à l'extraordinaire croissance de l'Internet, il est aujourd'hui possible dans un grand nombre de secteurs de comparer les spécifications, les services d'assistance et les tarifs d'une large gamme de fournisseurs. En effet, il existe des sites Web spécialisés dans des branches spécifiques et qui vous mettent en contact avec les fournisseurs qui répondent le mieux à vos exigences. Quels que soient vos besoins, l'Internet est un puissant outil de recherche qui permet de réduire le coût des achats.

85 L'Internet vous permet de réduire vos frais de recrutement et d'élargir la recherche.

SOUDER LES LIENS
AVEC LE CLIENT

L'Internet vous permet de toucher une clientèle mondiale, quelle que soit la taille réelle de votre entreprise. Utilisez-le pour vous rapprocher de vos clients en leur fournissant un service supérieur à celui de vos concurrents.

86 Offrez à vos clients un choix en termes de mode d'achat.

RACCOURCIR LA CHAÎNE D'APPROVISIONNEMENT

Pour les entreprises qui fonctionnent avec une chaîne d'approvisionnement, l'Internet offre la possibilité de raccourcir cette chaîne et de se rapprocher ainsi de sa clientèle. Toutefois, ne laissez pas tomber votre réseau traditionnel : le modèle Internet doit être une chaîne supplémentaire et non une chaîne de remplacement. Trouvez des moyens d'utiliser l'Internet pour soutenir vos partenaires commerciaux actuels et pour les aider à se rapprocher de vos clients afin d'améliorer la qualité du service.

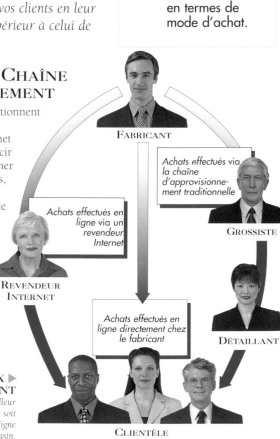

FABRICANT

Achats effectués via la chaîne d'approvisionnement traditionnelle

GROSSISTE

Achats effectués en ligne via un revendeur Internet

REVENDEUR INTERNET

Achats effectués en ligne directement chez le fabricant

DÉTAILLANT

CLIENTÈLE

LAISSER LE CHOIX ▶ AU CLIENT
Utilisez l'Internet pour offrir le meilleur service possible à vos clients, que ce soit pour un produit acheté en ligne ou dans un magasin.

AMÉLIORER LE SERVICE CLIENTÈLE

L'Internet permettant d'accéder instantanément à de nombreux fournisseurs, le client peut comparer les prix, ce qui se traduit par une concurrence acharnée. Pour être compétitives, les entreprises attachent de plus en plus d'importance à leur service clientèle dans le but de se démarquer de leurs concurrents. Cherchez des moyens de vous lier avec vos clients, et concevez un site Web qui offre un accès facile et rapide à l'information sur les produits et au service après-vente. Examinez votre entreprise de l'extérieur et efforcez-vous de supprimer les barrières de la communication.

▼ ATTEINDRE LES CLIENTS

L'étude de cas ci-dessous montre les avantages d'un site Web qui offre au client un accès facile à l'information qu'il recherche. Il est également important qu'il fournisse un service après-vente de qualité.

ÉTUDE DE CAS
Un grand fabricant de matériel électrique et électronique décide de développer son site Internet pour offrir un meilleur service clientèle que ceux de ses concurrents (ces derniers utilisant le Web pour vendre du matériel mais offrant peu de services complémentaires). Après avoir consulté la chaîne d'approvisionnement traditionnelle, l'entreprise décide de développer une présence qui fournisse à la clientèle les renseignements dont elle a besoin et qui aide les détaillants en leur envoyant les clients. Le résultat est un site qui permet au client de trouver le produit dont il a besoin (et même de personnaliser certains produits) et qui lui donne le choix entre un achat en ligne ou un achat chez le détaillant le plus proche ou le plus pratique. Très complet, le service clientèle comprend des groupes de discussion, des listes de diffusion, ainsi qu'un contact en direct, par clavier interposé, avec l'équipe d'assistance après-vente.

87 Étudiez la gestion de la clientèle faite par vos concurrents.

88 Encouragez et facilitez le contact avec la clientèle, en ligne ou par téléphone.

IDENTIFIER LES ÉCUEILS

De nombreuses entreprises vantent les mérites de leur service clientèle et affirment y être fort attentives, mais la perception de la clientèle est souvent très négative. Ne sous-estimez pas le pouvoir de votre clientèle Internet : elle peut ruiner votre réputation si vous n'êtes pas à la hauteur. La fidélité n'est pas un concept très répandu sur le Web, où l'on peut changer de fournisseur d'un clic de souris. Surveillez constamment la façon dont vos clients utilisent votre site Web pour l'améliorer. Assurez-vous que votre site ne soit pas une barrière à la communication : trop de sites ne donnent pas les coordonnées de personnes à contacter et empêchent les contacts humains plus qu'ils n'encouragent le choix du mode de communication pour le client.

DÉVELOPPER LA RELATION AVEC LES FOURNISSEURS

Pour minimiser les coûts et maximiser votre flexibilité, établissez une coopération étroite avec les entreprises de votre chaîne d'approvisionnement. Profitez d'Internet pour tisser des liens avec vos fournisseurs.

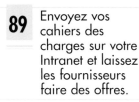

89 Envoyez vos cahiers des charges sur votre Intranet et laissez les fournisseurs faire des offres.

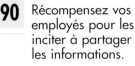

90 Récompensez vos employés pour les inciter à partager les informations.

91 Lorsque vous montez un Intranet, demandez l'avis des utilisateurs.

AMÉLIORER VOTRE CAPACITÉ D'ACHAT

Une communication rapide entre les membres de la chaîne d'approvisionnement est devenue indispensable pour minimiser les délais de production, optimiser la gestion des stocks et travailler en flux tendu. L'échange de données informatisé (EDI) a été développé pour faciliter le transfert rapide de données commerciales répétitives. Aujourd'hui, l'Internet offre une solution plus économique et plus flexible, et facilite grandement l'échange d'information.

ÉVALUER SI UN FOURNISSEUR EST PRÊT POUR LE COMMERCE ÉLECTRONIQUE

Il est important d'identifier lesquels de vos fournisseurs sont prêts à travailler avec vous électroniquement. Posez-leur des questions pertinentes, notamment quant à leur capacité à partager des données *via* l'Internet ou un Intranet privé.

  Possédez-vous un Intranet pour vous faciliter le partage des données ?

  Quelle proportion d'affaires électroniques faites-vous avec des clients tels que nous ?

  Pouvons-nous suivre nos commandes en accédant à votre Extranet ?

  Pouvons-nous accéder en ligne et en temps réel à la base de données de vos stocks ?

UTILISER UN INTRANET ET UN EXTRANET

Un Intranet est un mini-Internet privé, dont l'accès est limité à certains utilisateurs. Dans de nombreuses entreprises, il sert à diffuser les informations en interne. En utilisant la technologie peu onéreuse et flexible de l'Internet, un Intranet peut fort bien remplacer la diffusion d'informations sur papier. L'accès à l'Intranet peut également être étendu aux fournisseurs, voire à des clients importants ; on parle alors d'Extranet. Un tel système sert à partager rapidement les informations importantes avec ses partenaires et à leur permettre un accès en ligne et en temps réel à un certain nombre de données.

▼ MINI-INTERNETS PRIVÉS

Un Intranet est souvent rapide, simple et peu onéreux à mettre en place. Déléguez à chaque service la responsabilité d'entrer et de mettre à jour certaines informations.

Vous pouvez accéder à votre Intranet via le réseau de l'entreprise, ou l'Internet lorsque vous êtes en déplacement

POINTS À RETENIR

● Pour le bien de votre clientèle, vous et vos fournisseurs devrez pouvoir partager des informations rapidement.

● Les transactions d'entreprise à entreprise constitueront la plus grande partie du commerce électronique.

● Bon nombre de grandes entreprises exigent de leurs fournisseurs qu'ils soient capables de commercer électroniquement avec elles.

SOUTENIR VOTRE CHAÎNE D'APPROVISIONNEMENT

Le développement de l'EDI a permis aux grandes organisations de tisser des liens électroniques avec leurs principaux clients et fournisseurs. Toutefois, le coût et la complexité de l'EDI excluaient jusqu'à présent bon nombre de petites sociétés du partage de l'information. Aujourd'hui, toute entreprise quelle que soit sa taille peut en bénéficier grâce à la technologie Internet. Efforcez-vous de partager le maximum d'informations avec vos partenaires commerciaux afin de limiter les délais de production et de livraison, de réduire les coûts et d'éliminer les problèmes de qualité ; impliquez tous vos partenaires de la chaîne d'approvisionnement.

EXPLORER LE WEB

L'Internet offre un accès rapide à des informations gratuites ou peu onéreuses qui vous donneront l'avantage sur vos concurrents si vous apprenez à vous en servir plus efficacement qu'eux. Apprenez à utiliser les moteurs de recherche.

92 N'oubliez pas que l'Internet est une mine d'or, mais qu'il faut creuser.

93 Apprenez à vous servir des principaux moteurs de recherche.

94 N'utilisez pas seulement le Web, mais aussi les newsgroups.

ACCÉLÉRER VOTRE RECHERCHE

À moins d'apprendre à effectuer une recherche efficace, trouver le renseignement désiré tout en évitant un déluge d'informations inutiles est parfois une véritable gageure. Pour vous aider, il y a les moteurs de recherche, qui proposent des bases de données ou des catalogues de pages Web. Utilisez-les comme point de départ. Apprenez à en utiliser plusieurs et servez-vous-en régulièrement.

UTILISER LES MOTEURS DE RECHERCHE

Tous les moteurs de recherche proposent une fonction recherche de base pour vous aider à localiser l'information. Cependant, une recherche simple donne souvent des résultats trop généraux. Il vaut mieux choisir l'option recherche avancée, qui vous permet d'entrer plus de mots clés et d'utiliser une puissante recherche à « logique booléenne » pour réduire la quantité et améliorer la qualité des résultats. Apprenez à vous en servir en étudiant le menu « aide » de deux ou trois grands moteurs de recherche.

À FAIRE ET À NE PAS FAIRE

✔ Apprenez à utiliser deux ou trois grands moteurs de recherche.

✔ Étudiez le manuel pour apprendre à utiliser la recherche avancée.

✔ Pensez à plusieurs mots clés avant de commencer votre recherche.

✔ Concentrez-vous sur l'information dont vous avez besoin et ignorez le reste.

✘ Ne vous attendez pas à une couverture exhaustive de la part d'un seul moteur, ni même de deux.

✘ N'utilisez pas que la fonction de recherche de base.

✘ Évitez les mots clés ou les expressions trop génériques.

✘ Ne vous laissez pas distraire pas les informations sans rapport avec le sujet.

RETOUR D'INFORMATION DE LA CLIENTÈLE

Un retour d'information de la part de vos clients se révélera très bénéfique si vous pouvez l'obtenir rapidement et à bon compte, puis le traiter efficacement. Établissez la communication avec vos clients et incitez-les à vous faire part de leurs opinions en laissant un message sur votre site Web, messagerie électronique, liste de distribution, ou forums et groupes de discussion. Envisagez l'utilisation en ligne d'échantillons de clients pour tester de nouvelles idées de produits et affiner votre stratégie marketing.

95 Dites-vous que vos concurrents observent vos activités en ligne.

▼ **GARDER LE CONTACT AVEC VOS CLIENTS**
Il est indispensable de se concentrer sur le client. Aspirez à être le meilleur en matière de retour d'information de la clientèle et d'actions menées en conséquence. Tâchez de récompenser chaque client pour sa participation.

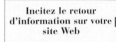

| Incitez le retour d'information sur votre site Web | → | Répondez rapidement pour montrer que vous êtes à l'écoute | → | Utilisez le retour d'information pour améliorer vos services |

SE RENSEIGNER SUR LA CONCURRENCE

Si vos concurrents sont présents sur l'Internet, profitez-en pour observer leurs activités. Analysez leur façon de se présenter sur leur site, de vendre des produits en ligne et de gérer leurs relations avec les clients. Utilisez des moteurs de recherche pour trouver des pages de leur site qui n'ont peut-être pas de liens à partir de zones publiques mais qui sont néanmoins accessibles avec l'adresse et examinez les zones protégées par mot de passe réservées à leurs partenaires et fournisseurs. Attention : de nombreux sites Web laissent des « cookies » (petits fichiers de texte) dans votre navigateur Web afin de vous identifier et de suivre vos déplacements sur le site. Refusez les cookies car votre concurrent reconnaîtra votre adresse et s'en servira pour étudier la façon dont vous avez visité son site.

POINTS À RETENIR

● La complexité du site Internet de vos concurrents révèle leur degré d'implication dans le commerce électronique.

● Des caractères étranges dans une adresse URL indiquent que votre visite du site est surveillée de près.

● Le fait de savoir à quels sites sont reliés ceux de vos concurrents vous permettra de mieux rivaliser en ligne.

96 Pour surfer plus discrètement, n'acceptez pas les « cookies ».

FAIRE DU MARKETING SUR INTERNET

L'Internet permet de toucher une clientèle énorme tout en donnant la possibilité de dialoguer avec des individus. Apprendre à commercialiser sa marque sur l'Internet est d'ores et déjà essentiel à la survie de toute entreprise.

METTRE VOTRE MARQUE SUR LE WEB

Que vous dirigiez une entreprise traditionnelle ou essentiellement virtuelle, votre marque est votre meilleur atout. Dans le monde de l'Internet, où le client ne peut ni voir ni toucher vos produits, ce sont les valeurs de votre marque qui font naître la confiance et incitent le client à acheter chez vous. Cependant, le monde virtuel est si vaste qu'une marque même très réputée dans le monde réel peut facilement se perdre dans l'efferverscence commerciale en ligne. Heureusement, l'Internet vous permet de cibler votre clientèle avec précision et de concentrer vos efforts sur des niches commerciales. Identifiez les créneaux pour vos produits et servez-vous de votre présence en ligne pour augmenter votre clientèle. Songez toujours à donner de la valeur ajoutée à vos clients en ligne car il n'existe pas d'autre moyen de les fidéliser.

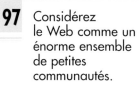

97 Considérez le Web comme un énorme ensemble de petites communautés.

98 Sachez que des concurrents par ailleurs modestes peuvent être très puissants en ligne.

▼ EXPLOITER DES NICHES COMMERCIALES

La grande force du Web est la possibilité qu'il vous offre de toucher de petits groupes d'intérêt et de faire de bonnes affaires avec eux. Pour développer des relations à long terme, offrez un service à valeur ajoutée.

ÉTUDE DE CAS
Le boucher d'une petite ville de Bourgogne a compris que l'Internet lui offre la possibilité d'augmenter son chiffre d'affaires.
Il se rend compte qu'il doit cibler les gourmets prêts à payer plus cher pour acheter par Internet une viande de qualité produite localement. Conscient de la nécessité de proposer quelque chose de très différent pour attirer l'attention et fidéliser le client, il développe un site Web qui offre d'appétissantes recettes de saison, renouvelées de façon régulière. Créé sur le thème régional, le site met l'accent sur la qualité des spécialités locales à base de viande et propose des articles touristiques.
Facile d'utilisation, le site offre aux clients la possibilité de commander en ligne et de payer par carte de crédit par l'intermédiaire d'un serveur sécurisé. Une livraison en vingt-quatre heures est assurée à travers le pays.
En s'appuyant sur les points forts de l'Internet, le boucher vient de créer une niche commerciale très lucrative.

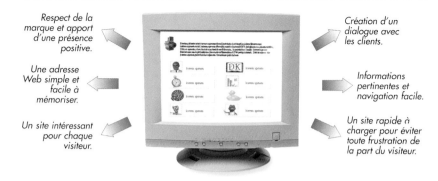

Respect de la marque et apport d'une présence positive.

Une adresse Web simple et facile à mémoriser.

Un site intéressant pour chaque visiteur.

Création d'un dialogue avec les clients.

Informations pertinentes et navigation facile.

Un site rapide à charger pour éviter toute frustration de la part du visiteur.

PROMOUVOIR VOTRE PRÉSENCE

Faites connaître votre présence sur Internet non seulement en ligne, mais surtout dans le monde réel. Intégrez des activités en ligne dans toutes vos promotions traditionnelles et cherchez à attirer l'attention de votre clientèle aussi bien dans le monde réel qu'en ligne. Même les marques qui n'existent que sur l'Internet et qui n'ont pas pignon sur rue doivent s'appuyer sur le marketing et la publicité dans les autres médias. En ligne, achetez des espaces publicitaires chez les sites ; ces liens envoient directement le visiteur sur votre site.

POINTS À RETENIR

● Un site Web ne doit pas être conçu comme une plaquette publicitaire.

● Faites de la publicité sur des sites Internet très fréquentés, et vérifiez son efficacité.

● Recherchez de nouvelles façons d'employer en ligne les méthodes de marketing direct traditionnelles.

● Comparez régulièrement votre technique de commercialisation en ligne à celle des concurrents.

▲ CRÉER UN SITE WEB EFFICACE

Pour mettre votre marque en valeur, votre site Web doit avoir une adresse percutante, être rapide à charger et simple à consulter ; il doit offrir un plus à chaque visiteur.

99 Testez la publicité en ligne en alternant plusieurs bannières sur une sélection de sites Web.

SE LANCER DANS LE MARKETING DIRECT EN LIGNE

Le marketing direct fonctionne très bien en ligne car l'Internet facilite les contacts en tête à tête et présente le gros avantage de permettre à une entreprise de suivre ses retombées facilement et d'obtenir rapidement un retour d'information lorsqu'elle teste de nouvelles campagnes de marketing. Pour recueillir des informations exploitables, vos visiteurs devront vous laisser des renseignements personnels ; offrez une récompense à ceux qui le font.

LE COMMERCE ÉLECTRONIQUE

Se lancer dans le commerce par Internet est moins coûteux et plus rapide qu'ouvrir un magasin. Par conséquent, la concurrence est rude. Pour garder une longueur d'avance, vous devez apprendre à tirer parti du commerce électronique.

100 Observez ce que font les autres comme commerce électronique pour déterminer ce qui marche.

MONTER SON AFFAIRE

Votre site Web est la devanture de votre magasin sur l'Internet, et un bon site de commerce électronique réclame une attention toute particulière à sa structure, à sa conception et à son contenu. Si vous envisagez d'ouvrir un site de commerce électronique, gardez à l'esprit que pour attirer et fidéliser les acheteurs, votre site devra offrir un caractère pratique, des réductions et de la valeur ajoutée. De même, il est crucial de pouvoir répondre rapidement à la demande. Ceci nécessite une structure « d'arrière-plan » suffisante pour gérer le nombre de commandes.

L'entreprise engage un concepteur pour développer un site Web efficace.

Un employé fait une proposition de commerce électronique à son responsable.

Le responsable rejette l'idée.

101 Profitez des économies faites en vendant en ligne pour baisser vos tarifs.

DIFFÉRENCES CULTURELLES

Bien qu'il soit naturel de vouloir développer votre site en français, n'oubliez pas que vous vous adressez à une clientèle internationale. L'anglais étant la langue principale de l'Internet, vous devrez prendre la peine de faire traduire votre site au moins en anglais, et encore mieux dans plusieurs autres langues. Et lorsque vous vendez à l'international, renseignez-vous sur les taxes et les droits de douane en vigueur.

RECEVOIR DES PAIEMENTS EN LIGNE

Il est très simple de mettre en place un paiement en ligne. De nombreux prestataires Internet proposent l'utilisation du logiciel « Caddie » et d'un service sécurisé, et vous pouvez ouvrir un compte commercial en ligne. Pour les paiements par cartes de crédit, vous devrez choisir entre l'autorisation en temps réel ou par lots.

L'entreprise engage un consultant spécialisé dans le commerce électronique.

Un an plus tard, le responsable annonce une nette croissance des bénéfices en ligne et envisage d'agrandir l'entreprise.

Un an plus tard, il se rend compte que son entreprise ne peut plus lutter avec la concurrence.

POINTS À RETENIR

● Un site de commerce électronique doit être rapide et facile à utiliser.

● Il faut généralement peu de temps pour ouvrir un compte commercial en ligne.

● Étudiez attentivement l'utilisation de votre site Web par vos clients.

● Encouragez le retour d'information de votre clientèle et faites évoluer le site en conséquence.

CIBLER VOTRE CLIENTÈLE

Assurez-vous que votre site Web est rapide et facile à consulter. Évitez les graphiques élaborés qui mettent longtemps à charger, ou vos clients iront voir ailleurs. Si vous vendez des produits sur votre site, indiquez-le clairement à vos visiteurs en incluant sur chaque page un lien facilement repérable vers votre catalogue de vente. Fournissez des informations complètes sur vos produits et assurez-vous que le site invite le client à souhaiter et à conclure la vente.

TESTER SES COMPÉTENCES

Souvenez-vous qu'il faut du temps et de l'entraînement pour développer les compétences nécessaires à une bonne utilisation de l'informatique, mais que cet apprentissage est indispensable. Testez vos performances à l'aide du test ci-dessous. Soyez le plus honnête possible : si votre réponse est « Jamais », cochez la case 1 ; si c'est « Toujours », cochez la case 4, etc. Additionnez vos points, puis reportez-vous à l'encadré « Résultats ». Servez-vous des notes obtenues pour déterminer les points à améliorer.

OPTIONS

1 Jamais

2 Parfois

3 Souvent

4 Toujours

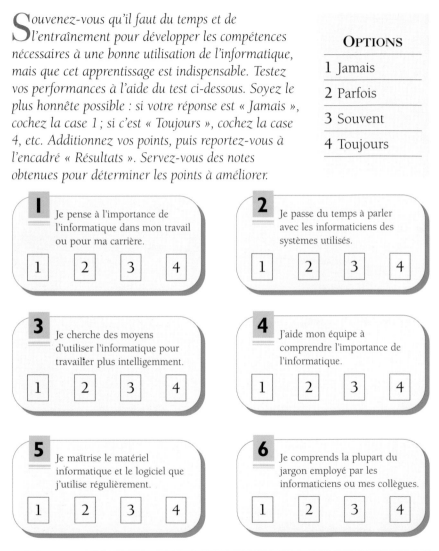

1 Je pense à l'importance de l'informatique dans mon travail ou pour ma carrière.

1   2   3   4

2 Je passe du temps à parler avec les informaticiens des systèmes utilisés.

1   2   3   4

3 Je cherche des moyens d'utiliser l'informatique pour travailler plus intelligemment.

1   2   3   4

4 J'aide mon équipe à comprendre l'importance de l'informatique.

1   2   3   4

5 Je maîtrise le matériel informatique et le logiciel que j'utilise régulièrement.

1   2   3   4

6 Je comprends la plupart du jargon employé par les informaticiens ou mes collègues.

1   2   3   4

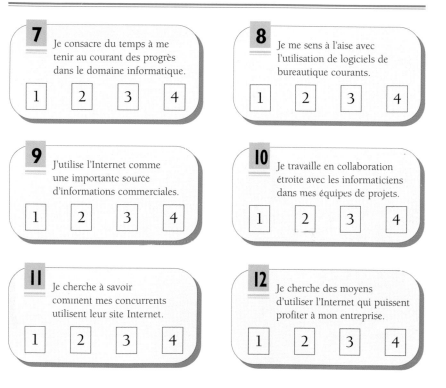

7 Je consacre du temps à me tenir au courant des progrès dans le domaine informatique.

1 2 3 4

8 Je me sens à l'aise avec l'utilisation de logiciels de bureautique courants.

1 2 3 4

9 J'utilise l'Internet comme une importante source d'informations commerciales.

1 2 3 4

10 Je travaille en collaboration étroite avec les informaticiens dans mes équipes de projets.

1 2 3 4

11 Je cherche à savoir comment mes concurrents utilisent leur site Internet.

1 2 3 4

12 Je cherche des moyens d'utiliser l'Internet qui puissent profiter à mon entreprise.

1 2 3 4

RÉSULTATS

Après avoir répondu à toutes les questions, additionnez vos points et vérifiez vos performances d'après le total obtenu. Quel que soit votre taux de réussite ou vos compétences en informatique, n'oubliez pas que la technologie évolue rapidement et que vous devrez faire l'effort de vous tenir au courant des derniers progrès. Identifiez vos points faibles et reportez-vous dans cet ouvrage aux paragraphes correspondants. De **12 à 24** points. Il vous faudra développer vos compétences avant de pouvoir utiliser l'informatique pour votre bien et celui de votre entreprise.

De **25 à 36** points. Vous maîtrisez relativement bien la question, mais il vous reste quelques points faibles à revoir.

De **37 à 48** points. Vous avez une bonne compréhension de l'informatique et de son importance pour votre entreprise ; continuez de suivre les progrès techniques de près.

INDEX

TITRES DISPONIBLES

Créer son CV

Développer son potentiel

Diriger efficacement

Diriger une équipe

Gérer le changement

Gérer son temps

Organiser une réunion

Parler en public

Prendre des décisions

Savoir communiquer

Savoir déléguer

Savoir manager

Savoir motiver

Savoir négocier

Techniques d'entretien

Vaincre le stress

Vendre avec succès

Gérer un budget

Élaborer une stratégie

Développer un projet

Steve Sleight est écrivain et consultant indépendant en informatique.
Il possède une riche expérience sur le sujet.
Ancien directeur d'un grand cabinet-conseil européen,
il était responsable de l'utilisation stratégique de l'informatique,
du développement de réseaux informatiques et de la gestion
des ressources informatiques.
Il est intervenu auprès de sociétés internationales de premier plan pour les aider
à développer leurs projets grâce aux nouveaux médias.
Plus récemment, il a supervisé quatre grands projets informatiques
pour un important groupe de distribution automobile.

Photographies

Code : h *haut* ; b *bas* ; c *centre* ; d *droite* ; g *gauche*

©1995-2000 Agfa-Gevaert Group : 20 ; ©2000 Apple Computer Inc : 43tr ; BT Archives/Pictures : 23tc ;
Compaq Computer Corp : 23c ; ©2000 Iomega Corporation : 21tr ; Powerstock Photolibrary/Zefa : 40, 48 ;
Science Photo Library : George Bernard 17b ; Rex Interstock : Richard Fitzgerald (couv.) ; Tony Stone Images :
Dan Bosler 56 ; Paul Kenward 34 ; Robert Mort 8 ; Telegraph Colour Library : Jim Cummings 4.